KV-383-159

Hockney's Portraits and People

［英］马尔科·利文斯通　　［英］凯·海默尔 著

容貌即是一切

大卫·霍克尼的肖像画和他的朋友们

含243幅插图

浙江人民美术出版社

Published by arrangement with Thames &
Hudson Ltd, London
Hockney's Portraits and People © 2003 David
Hockney
Text © 2003 Thames & Hudson Ltd, London
All works reproduced, unless otherwise stated ©
2003 David Hockney

This edition first published in China in 2018 by
Zhejiang People's Fine Arts Publishing House,
Zhejiang Province
Chinese edition © 2018 Zhejiang People's Fine
Arts Publishing House

合同登记号
图字：11-2017-186号

图书在版编目（CIP）数据

容貌即是一切：大卫·霍克尼的肖像画和他的朋友
们 /（英）马尔科·利文斯通，（英）凯·海默尔著；周
渝译. — 杭州：浙江人民美术出版社，2018.1
  ISBN 978-7-5340-6390-9

  I. ①容… II. ①马… ②凯… ③周… III. ①人物画
—作品集—英国—现代 IV. ①J231

中国版本图书馆CIP数据核字（2017）第302722号

责任编辑　李　芳
责任校对　黄　静
责任印制　陈柏荣

容貌即是一切
大卫·霍克尼的肖像画和他的朋友们

著　　者　[英]马尔科·利文斯通　[英]凯·海默尔
译　　者　周渝
出版发行　浙江人民美术出版社
地　　址　杭州市体育场路347号
印　　刷　中华商务联合印刷（广东）有限公司
版　　次　2018年1月第1版·第1次印刷
开　　本　965mm×1270mm　1/16
印　　张　15
字　　数　105千字
书　　号　ISBN 978-7-5340-6390-9
定　　价　200.00元
如有印装质量问题，影响阅读，请与承印厂联系调换。

致谢

感谢凯·海默尔，2001年你在波恩德国联邦艺术与展览馆策划的大卫·霍克尼作品回顾展无所不包且富有启迪，现在又为本书挑选作品并构建大致框架，与你共事促成此书，我深感荣幸。

我要感谢泰晤士与哈德逊出版社（Thames & Hudson）的编辑们为我所做的指导。马吉·史密斯（Maggi Smith）承担了远超其设计师本职工作之外的诸多事务；亚伦·海登（Aaron Hayden）在最初排版，以及查看样本直至完工中所体现的敏锐与智性，对我专心工作起到不可估量的作用。

我要感谢莎拉·伍德芬（Sarah Woodfine），她那独具个性与热情的铅笔素描，让我在过去两年中重新发现了素描的发展潜力。我还要感谢斯蒂芬·斯图尔特–史密斯，他充满耐心，对我倍加支持与鼓励，对我的征询意见有问必答。

我最想感谢的是大卫·霍克尼，我与他的友谊从1980年开始一直延续至今，当时我正开始撰写关于其作品的第一本著作，感谢多年来如此慷慨地为我贡献他的时间、思想与艺术。

马尔科·利文斯通，2003年3月于伦敦

我要感谢马尔科·利文斯通在关键时刻接手这一项目，并在其中融入他非常宝贵的洞察力。我要感谢泰晤士与哈德逊出版社的每一个人持续给予的鼎力支持。

大卫·霍克尼工作室的格雷戈里·埃文斯、卡伦·S. 库尔曼和戴维·格拉夫斯，非常慷慨地与我们分享了他们的时间与熟悉之事。我们与之相处融洽。最后，我要感谢大卫·霍克尼所给予的这一切——他的作品、他的善良、他的耐心，这也是阐释作品自身最终所述之意的另一种尝试。

凯·海默尔，2003年4月于埃森市

第1页：《戴维、西莉亚、斯蒂芬和伊万，伦敦，1982年》（*David, Celia, Stephan and Ian, London 1982*）（局部）

第2—3页：《模特与未完成的自画像》（*Model with Unfinished Self-Portrait*）（局部），1977年

前言 描绘人物

马尔科·利文斯通

《马尔科·利文斯通》（*Marco Livingstone*） 2002年

自从大卫·霍克尼16岁在布拉德福德艺术学院受训成为艺术家的那一刻开始，他就已经明确知晓自己对人像充满兴趣，更确切地说是对肖像问题非常感兴趣。此处收集的作品，从他1954年17岁的这幅刻画得出奇精致的自画像开始，到2002年年末和2003年年初描绘的雄心勃勃的大幅水彩，跨越近50年之久。在这段时间当中，造型艺术和手绘图画都不断受到新发展的持久冲击，这些新发展包括极简主义、概念艺术、行为艺术、装置艺术、录像艺术以及形形色色的摄影作品，但是霍克尼依旧顽固地坚信，人物绘画在今天依旧会像往昔那样令人着迷。

对其之前的那些伟大的后文艺复兴时期的艺术家来说——包括马蒂斯和毕加索，霍克尼作为艺术家所受的训练始于人体素描课程。虽然他很快就对描绘人像这一沿袭已久的保守方式感到焦躁不安，并试图通过更为抽象而概念化的方式来阐明自己的现代性，但是艺术家从未对这种基础训练感到后悔。就在最近的1994年，在靠近布拉德福德的萨尔兹纺织厂（Salts Mill）举办的新绘素描展目录前言中，霍克尼回忆道："我在布拉德福德对素描获益颇多，素描教学就是教你怎么看，然后理解。最富成效的教育在于拓展你对观看的愉悦，然后发现世界是如此之美妙。"纵观艺术家其后所有描绘人脸和身体的经历，他每隔一段时间就会回过头来直接审视那些塑造人体素描的特征。霍克尼总是学无止境，让自己适应新技术，并满怀激情地去探索他之前从未尝试过的技法。他依旧称自己是个学生。

霍克尼的朋友兼同事R. B. 基塔伊是一位美国具象画家，他于1959年至1962年间也在伦敦皇家艺术学院求学，比霍克尼高五个年级，在人物肖像艺术上和霍克尼理念一致。正如他一直喜欢强调的那样，人类自我造像的冲动从洞穴壁画时代开始就显而易见，现在也不太可能消失。对他而言，霍克尼是对那些宣称肖像画是一种过时的甚至垂死的艺术形式的人最直白的回答。翻阅今天的任何一份报纸，任何一期名流杂志，你都会发现肖像在无止境地延续下去。我们依旧会对别人的长相以及人脸的无穷变化啧啧称赞。即便如此，当下的画像很大程度上受限于摄影。虽然霍克尼通常借助照片作为其绘画的参考素材，甚至对相机拍摄的图像进行长时间（特别是在20世纪80年代早期）的试验，但是他得出的结论是，我们已经被透镜提供的有限观看方式所奴役。现在他所说的是对照片表面的排斥,霍克尼清楚地意识到他的责任就是要去证明,眼手结合能够成功创作一个多么人性化的、真实而主观的现实描述。

1959年秋,霍克尼将其在皇家艺术学院度过的第一个月,都耗费在对人体骨架做最严谨详细的炭笔素描之中。即便如此,在接下来的一年内,由于受到法国画家让·迪比费的"涩艺术"(art brut)的影响(其他事物除外),他采用各式各样的天真伪装作为人物绘画创作的策略。霍克尼用儿童艺术的方式,以及都市涂鸦的鬼画符和古埃及艺术的呆板样式,对人体结构进行描画、蚀刻和涂绘。某一种方法未必就会比其他方法更好、更"先进"或更现代;这只不过是另一种观看之道,一种扩充艺术家武器库可能性的方式。霍克尼通过宣称自己在很小的时候就可以自主发展,并且有时候能将相互冲突的体系在自我宣称的"风格融合"之中结合在一起,从而对所有选择持开放态度。在其之前的毕加索就拥有令人惊叹的广阔风格范围,这让1960年的霍克尼印象深刻,当时他只是一个23岁的学生,在今后的生涯中,艺术家会将这种自由发挥到极致。

20世纪60年代中期,霍克尼逐渐厌倦研究他那顽皮的、有时近似抽象的风格传统,并再次寻求以一种更加自然主义的方式描绘其周围的世界。这种突如其来的念头因其生活环境与自身人性的影响而得到进一步的增强,因为恰巧在那时,他喜欢上了一位年轻人彼得·施莱辛格,1966年,霍克尼满怀激情地想要描绘他的形象。这段时期艺术家常常依赖快照,既作为直接证据又当作**辅助记忆**(aides mémoire),虽然他的绘画已经朝向一种更具摄影视角的方法发展。但是,霍克尼也创作一些非常漂亮、优雅且极度简练的作品来研究20世纪的生活,这种风格很快就成为艺术家钢笔素描的标志性手法。在1967年短暂的水彩画实验期内,霍克尼还创作了一些华丽而充满诱惑的性感肖像,主要以彼得为模特。

在1968年至1977年间,霍克尼创作的接近真人大小的双人肖像,标志了他那自然主义风格的顶峰。这种绘画不仅仅成功地借助精确描绘来实现逼真的效果,同时也借助人物的身体存在和对姿态及肢体语言的敏锐观察,通过后者人们在不知不觉中暴露了他们的个性和彼此之间的关系。即便当霍克尼选择远离这一自然主义方式之后，他也继续以这些作品中的艺术发现作为自己下一步研究的基础。

霍克尼需要定期让自己像绘图员一般进行反复练习，并时常测试自己的观察力，这促使他从20世纪70年代起创作出各式各样的肖像画系列。通常这些组画的诞生并非出于构思，而是因为对探索新技术的痴迷与强迫症，从一幅肖像画到另一幅肖像画。最好的例子就是1973年和1976年在参观访问洛杉矶途中创作的平版画，以及在此期间创作于巴黎画室的那些尽善尽美的色粉素描。此后，他创作了一组小幅油画写生头像（1988年）、一组大型色粉素描（1994年）、一系列使用投影转画仪创作的复杂精细的铅笔素描（1999年至2000年），数量多达280张，以及超过30张的大尺寸水彩双人肖像画（2002年至2003年）。

在1982年至1986年间，霍克尼在尝试照相拼贴法的过程中，几乎耗尽了自己的精力。通过这种照相拼贴法，他重新阐释了立体主义的基本原则，并寻求新的方式来表现人物形象，表达观者在图画空间中的运动。虽然许多观察者——包括他的一些朋友，都担心他在绘画上分了心，但是霍克尼对一切了如指掌，通过这种媒介所产生的发现将很快融入他的手绘图画中去。从20世纪80年代中期到90年代早期，艺术家玩弄着一种新立体主义的风格，有时充满危险地向混杂画靠拢。这种事情以前经常发生，在创作完风景画以及他称之为"非常新颖的图画"（与抽象近似）之后，这次经历让霍克尼决心重返直接观察的方式。

20世纪80年代，艾滋病让霍克尼失去了很多朋友，这段痛心的经历似乎暂时让艺术家放弃在艺术中对人像进行直接表现。他在1983年后期创作的炭笔素描系列自画像，也是他第一次彻底融入主题当中，几乎可以肯定这是迫使艺术家回归自我的一个直接结果。艺术家的内心被掏空了，正如他的风景画那样，留下观众在画面空间中独自漫步。霍克尼针对第四维度的理论研究——将透视和非西方的空间概念加以颠倒，证实了这一发展的过程，但艺术家似乎总是借助这些作品来表达他那敏锐的孤独感。通过对这种意象的关注，并暂时消除对人类加以直接的表现，艺术家也许是想在情感上保护自己，以免直面那种深深的失落感。

    从20世纪90年代后期开始，肖像画报复性地回归霍克尼艺术的主舞台，这在投影转画仪和随后的巨幅水彩画中体现得最为明显。艺术家再次创作一系列旷日持久的自画像，常常表现自己处于忧郁或沉思的状态当中，似乎不理会某一爱发牢骚的伦敦艺术批评家曾经发出的抱怨，这位批评家认为国家美术馆举办的伦勃朗自画像展览简直就是一个劲儿地在说"一切都是我，我，我"。人们只能期望，人物绘画继续占据霍克尼创作生活的首要地位，将我们一次又一次地带回到我们自身的人性当中。

简介　观看之道

凯·海默尔

《凯·海默尔》(*Kay Heymer*)　2002年

本书关注那些在大卫·霍克尼生活中扮演重要角色的人物，以及艺术家描绘他们的方式。虽然其中包含的很多作品——油画、蚀刻画、摄影、照相拼贴画、素描以及版画——都可算作肖像画，但是，有些作品远不止是对一个人的存在或身份的简单追忆。相反，霍克尼将作品中的人物视为演员，身处一个超越传记或心理叙述的计划当中。艺术家正处于一场持久的旅行之中，他的艺术是对其所见之物的证实。作品反映旅程，捕捉活动与生活，探索尺寸截然迥异的空间。他测量距离并掌控空间，以便实现一种紧密联系之意，既和其作品中的模特联系，又和观看作品的观众联系。霍克尼的艺术就是艺术家和其所遇之人的交流方式。借助简短的阐述，他总是力图证明自己身处同伴当中并反映彼此的关系。因此，霍克尼的作品总是在处理亲密与疏远的关系。他不断地改变技法来界定彼此的距离并展现人际关系。他不断地试验着。

霍克尼是在20世纪中叶接受的教育。虽然在1959年至1962年之间，艺术家在伦敦皇家艺术学院曾投身现代主义，并为我们带来短暂的抽象作品，但是从1953年到1957年之间，他在布拉德福德艺术学院所受的最初训练，从区域性和前现代意义上来讲是传统的。在那里，霍克尼被教导要直接观察并真实再现，对他来说，这种传统训练被证明要比任何抽象主义都显得更为重要。大家已经知晓了霍克尼自学生时代开始的最初兴趣，而其不断变化的作品，展现了艺术家以多元角度处理肖像题材的手法。当他远离这一目标时，为的是拓展描绘的发展潜力，而这种远离已成为艺术家的常态化行为。但霍克尼又总会回归到模特的容貌上来。他在1982年写道："从某种意义上来讲，容貌是我们最感兴趣的所见之物；别人令我着迷之处，以及别人最引人注目之处——那是我们深入其内心的关键所在——就是容貌。容貌告诉了我们一切。"

除了20世纪50年代中期的早期作品之外，肖像画作为一种绘画类型首次出现于霍克尼1966年的作品中。在此之前的作品更多依赖于研究而非观察，而1959年至1966年间在霍克尼作品中出现的人物基本保持匿名，对真实身份只带有间接的指涉。从1966年的《尼克·怀尔德肖像》(*Portrait of Nick Wilde*)开始，霍克尼的人物变得特别起来，他们的独特故事成为焦点，他们的性情与交情开始与观众互动。在那以后的差不多十年当中，描绘人物迫使霍克尼去追求一种独一无二的写实主义。在这段时间内，他总是通过直接观察来描绘肖像，将模特假设为一个重要的角色。他们的个性似乎优先取代了形式、风格与技法。霍克尼所谓的"自然主义"的特征，在于一种素描与着色的分离模式，很多观众称之为"冷漠"（cold）。艺术家涂绘的痕迹趋向消除，构建起一种清晰透明的空间，让人和物稳固地置于他们的位置。他的人物从不移动，而交流与阐释的实现都借助于观看而非表演。虽然这些肖像本质上是私人的、亲密的图像，但私密早已扎根于技艺之中。

20世纪60年代，霍克尼努力实现惟妙惟肖地刻画模特，那个时期的钢笔素描也是这种对肖像的无比专注最具说服力的证明。素描的激情意味着霍克尼不仅仅趋向于创作朋友的肖像，这些朋友大多对其充满了耐心与理解，而且通过这些艺术家再熟悉不过的人，使其能够充分捕捉到他们外表的任何一丝改变。结果，霍克尼专注于一个范围极小的朋友圈，其中的每一个人都被艺术家画过很多次，直到能够从内心去洞悉他或她的外表。这些朋友诸如彼得·施莱辛格、莫·麦克德莫特、亨利·格尔德扎勒或西莉亚·伯特威尔，他们成为固定的参考坐标与艺术语言的支撑。

本书中的插图被有序地分为五个章节，将历史叙事与主题探索融合在一起。霍克尼作品的发展过程非常重要，并可按逻辑加以建构，但是对特定题材的关注，能够让我们对某些方面理解得更为透彻。第一章呈现的是霍克尼的自画像。整体来看，虽然以前有不少相反的说法，但数量还是令人惊叹。经过仔细查验发现，霍克尼看似从未真正停止过创作自画像，虽然他在某些时期要比其他时期更加彻底地热衷于这个主题。与其所有的作品一样，他的自画像高度反映了创作技巧，同时提供了一系列相当可观的自我展现的方式。

讨论霍克尼的家庭与朋友的第三章更具传记性。首先，这部分讲述了许多有关霍克尼与其所描绘人物之间关系的令人着迷的故事。第三章的大部分肖像画的处理方式是自然主义的。最重要的一点是，1955年霍克尼的第一张肖像画画的是他的父亲，因而父亲也成为1965年霍克尼第一批素描的模特。霍克尼的父亲与他非常亲近，足以成为其新起点的模特。1965年的《被艺术装置环绕的肖像》(*Portrait Surrounded by Artistic Devices*)就是以其第一幅素描为蓝本的人物画像,虽然依旧不表明身份。在这幅匿名肖像之后,霍克尼的人物变得有血有肉。

霍克尼的自然主义依旧令人捉摸不定。他限定自己只描绘朋友与家人的肖像(也存在极个别例外,从而显得特别醒目),但是最终的图像带一种远胜亲密感的客观疏远。从1966年到1976年,霍克尼越来越意识到自然主义所具有的形式约束性,对此他已经通过一系列不同的绘画技法加以探寻,从墨水线描与粉笔素描到诸如蚀刻画的版画技法,从平版印刷到丙烯画。

以"爱人与朋友II"为题的第四章涵盖了从1977年到1998年的这段时间。在这21年中,霍克尼手绘的痕迹在作品中重现。他摆脱了单点透视的理论束缚,进入更宽广视角的本质探索。更大范围的技术手段与方法推动了这个过程的发展,并且通过借鉴凡·高、法国现代派的榜样以及野兽派大师马蒂斯、马凯和杜飞的标志,霍克尼的绘画语言获得解放。艺术家回归油彩,而对立体主义的基本分析导致其对摄影的新发现,从而在作品中引入多重视角,并最终对传统透视加以颠覆。同时,对中国卷轴画时间体系的采用,也进一步丰富了霍克尼绘画的风格与技巧。和以前一样,在不知疲倦的好奇心的驱使之下,霍克尼选定了一种风格技巧,随即将其发挥到极致。

霍克尼的人物不得不适应所有这些戏剧性的改变,通常他们在这个过程中表现得很好。从1968年到1977年那些呆板僵硬的早期双人像,让位于动感、活泼、戏剧性与生机。在1982年的宝丽来拼贴画中,艺术家与模特的身体接触源自技法需要,而这种需要戏剧性地增加了肖像画的内心深度。人们从紧随20世纪80年代中期摄影试验之后的那个时期的作品当中——包括素描、版画和油画,发现了人像描绘的一种新的自由,贯穿整个20世纪90年代,霍克尼自由而令人信服地描绘人像或面容的能力得到了持续的增强。他的肖像画现在已不再是中性的了。它们既不奉承也不嘲弄,它们的意义在对所描绘人物的成功再现与艺术家的个性存在之间不停地徘徊——而霍克尼突出的特征标志又强化了这一点。霍克尼就是见证人,试图将瞬间定格。

 1999年，另一个重要并具有决定性的发现也显露出来。当霍克尼参观完伦敦国家美术馆举办的法国艺术家J. A. D. 安格尔肖像画展之后，陷入了对投影转画仪的疯狂试验当中。他坚信安格尔使用过这种微小的光学仪器，来创作他那小型的——但出奇自信的——铅笔素描肖像。在1999年到2000年之间，霍克尼借助投影转画仪创作了大约280幅肖像。作为这些调查研究的结果，他开始研究经典绘画大师们使用的光学仪器，这在其后大卖的著作《隐秘的知识》(Secret Knowledge)中达到高潮。除了对过去500年间的绘画史加以完全新颖原创的观照之外，这也刺激了霍克尼自己的创作。他意识到"肉眼所见"的素描和使用光学仪器的素描存在一种显著的差异，结果导致一种高度自信的、"可追踪的"观看方式。艺术家对光学仪器的实验提高了他那"肉眼所见"的技巧，因而2001年和2002年新创作的水墨素描，和20世纪六七十年代令人印象非常深刻的作品相比，标志着艺术家作为绘图员的一生中的新巅峰。在这些新画的肖像画当中，霍克尼前所未有地更加接近形象的彻底真实。即便艺术家对这个人了解不深，但凭借他对光学仪器的专业知识，同样能创作出令人信服且在精神上引人注目的人物素描。最近对水彩画的探索就证明了霍克尼对试验的渴望永无止境。这些雄心勃勃的作品——从20世纪70年代以来的第一幅双人像——极为复杂大胆，虽然它们乍看上去是那么的平淡无奇。

 自从20世纪50年代早期霍克尼第一次坐在模特面前迄今，一切似乎都未有太多改变。在艺术家的整个艺术生涯当中，他频繁地从游历世界与技法试验当中，回归他那隐秘的小画室，坐在模特面前描绘他或她的形象。即便如此，过去50年的这一系列肖像画表明艺术家不断地提升自己的能力，努力使之成为艺术家与其模特之间关系的一部分，并创作更加令人信服的作品。霍克尼回归画室的每一步，都指向对人性更加全面的理解。

《自画像》(*Self-Portrait*)　1954年

1 镜像

凯·海默尔

年轻的艺术家描绘自己面对我们的样子，眼镜背后透出甚为专注的神情。他也表现自己身后的事物，但无法描绘眼前的景象。他当然无法向我们展现眼前的事物，因为作品就源自其镜中反射的映像。但是，正如所有传统自画像一样，镜子的存在使作品带有一丝内在的矛盾，在1954年霍克尼17岁时创作于布拉德福德艺术学院的一幅石版画中，艺术家有意去探索反射面的作用。通过平版印刷术，他将自己画的图像反转过来，由此调整了映像的方向。或许有人会说，平版画消除了镜像"问题"，让图像变得更真实。

霍克尼在创作这幅自画像的时候还处于技巧训练当中，那时候，他还无法对某一特殊艺术风格做出自觉的选择。艺术家最初关注的是以一种相当忠实的方式来理解并复制其所见之物，同时探索一种新技术的发展潜力。画面中他那环抱的胳膊充满了迷惑性——艺术家并未选择表现自己创作时的形象，而是像模特一般地坐在那里。这种介于图像及其创作过程之间出现的时间间隙，至少部分依赖于艺术家的记忆。虽然霍克尼在创作这幅作品的时候只是一个学生，但这幅作品已表现出一些贯穿其艺术生涯的重要元素，包括（借助细节加以凸显的）家庭场景（例如橱柜中的碗和华丽的桌脚）以及对装饰图案的喜爱，我们可以从壁纸、地板以及人物的裤子、领带中看到这些图案。整体构图清晰简练，但经过严密的考量。在私密的小房间中，年轻艺术家的形象显得非常动人。

艺术家在1954年创作的这幅自画像，也许就是一种直接而又十分常见的描绘，但对于霍克尼自身形象的发展来讲，这也是一个严肃的起点。除了风格特征之外，这幅画在许多方面暗示了其随后作品发展的轨迹，连同新尝试、新媒介以及新的观看与描绘方式一起，体现了艺术家那连绵不断的魅力。也许无意之间，这幅作品也暗示了霍克尼依赖技术手段——镜子和透镜——来创作图像的内心情感。他从早期的学生时代开始就戴眼镜，因为戴眼镜对男孩子来说是一种温和的指责方式，他带着讽刺的眼神看着这个从今以后伴随一生的附属物。终究，这个附属物将在其艺术探索过程中结出硕果（参见第五章）。

《自画像》（*Self-Portrait*） 1954年

正如布拉德福德的十几岁艺术生那样，霍克尼认为以其生活环境作为自己的艺术主题是非常恰当与自然的。即便如此，直到20世纪80年代早期，艺术家都宁愿回避描绘自己，也许部分原因是因为他对自己太过庄重的戴眼镜的外表缺乏信心。但是，两幅尚存而极具纪恋意义的最早期作品恰恰是自画像，艺术家在其中展现了自我——布丁盆式的发型、棕色的头发、统一校服装扮、领带、眼镜等等——绝对的正面形象并位于构图的中轴线上。在这两幅作品当中，霍克尼的眼睛睁得大大的，冷静地凝视着他自己的映像。令人好奇的是，在平版画中他表现自己合拢着胳膊而非拿着平版画蜡笔，正如我们所期望的那样。这不是一个艺术家工作的形象，而是一个年轻人憧憬未来的肖像。

霍克尼从1959年开始在伦敦皇家艺术学院度过的时光，就不完全鼓励研究写生人物形象，虽然素描是必修的，但他也同时卷入风靡一时的抽象浪潮当中。也许为了确保自己获得扎实的人物素描技能，他刻画了许多细节深入的写实解剖结构，同时也遵循着英国画家阿兰·戴维（Alan Davie）和美国的杰克逊·波洛克（Jackson Pollock）的轨迹，探索抽象绘画的可能性。对他来说，抽象作品愈发显得"过于空洞"，因此转而关注个人题材。霍克尼用一种缺乏个性的绘画语言创作了"宣传"画，他常常在画面添加文字，这些文字展现了那些激发艺术家好奇与情感的主题，包括他的素食主义与性向。霍克尼通过运用获自法国画家让·迪比费和英国画家弗朗西

《我自己和我的英雄》(*Myself and My Heroes*) 1961年

斯·培根的绘画语言，来呈现其内心的渴求与膜拜之物，并借助服饰与动作创造出一种新的人物特征，以此打造自身的形象。在霍克尼的学院生涯末期，这种形象达到巅峰，当时他染了金发，穿着一身金色的蹩脚夹克，去参加自己的毕业典礼。这种伴随着一系列自画像的公开自我展示，与其说是自我观察的结果，不如说是艺术家为个人形象而精心设计的因素。接着就是蚀刻画《我自己和我的英雄》（这是对当时偶像——即沃尔特·惠特曼和圣雄甘地——的一种诙谐致敬，陪伴在旁边的则是一位极其瘦弱的戴眼镜的年轻人，这是对画家自身优点的一种适度借用，"我23岁并戴着眼镜"），艺术家仿效威廉·荷加斯那套著名的版画《浪子生涯》(*A Rake's Progress*)，创造了一系列令人印象深刻的蚀刻画。在这些蚀刻画中，霍克尼将自己的生活，连同所有的诱惑与谬误，表现成一个艺术家的样子，这是一种理想化与自我嘲讽的混杂。他讲述了1961年第一次前往纽约的旅行，包括被迫出售《我自己和我的英

《抵达》（*The Arrival*）

雄》来支付旅费的尴尬处境——这在《获赠遗产》中有所描绘，并借助染发创造了一个新的形象，这又是一种影射，暗指比利·维尔德的喜剧《热情似火》（*Some Like it Hot*）以及克莱罗尔（Clairol）杜撰措辞的广告——"金发女郎乐趣多，这是真的吗？"。这套版画讲述了艺术家以一种不负责任的生活方式不断堕落的过程，包括流连酒吧并与各色人等混在一起。正如荷加斯的版画初始设置的"浪子"那样，这种放荡的生活直接将霍克尼送进了疯人院。从1961年到1963年，霍克尼花了两年多的时间来创作这些蚀刻画，直至这些作品适合出版。

　　《浪子生涯》本质上的道德说教被填补在1961年创作的名为《我已坠入情网》的自画像当中。这幅作品被认为是深入霍克尼日记的钥匙，讲述了艺术家抵达纽约及

《浪子生涯》 1961—1963年

　　霍克尼热衷于讲述他在纽约的第一次旅程，创作了一组蚀刻画，共16张，以英国画家威廉·荷加斯1735年出版的版画组画《浪子生涯》为蓝本。原作的社会观察与讥讽界限，被更新为自我贬低的玩笑和对异乡奇遇记的观察。他乘坐廉价的"飞虎航空"航班，并立即以出售作品对自己施加伤害。霍克尼曾经为了庆祝新生活的开始而将头发染成金色，但是当他看到中央公园健壮的慢跑者时，依旧感到不满足。年轻的艺术家将真实事件与纯粹幻象融合在一起，从而警告自己不要因少年得志而冲昏头脑。

《获赠遗产》（*Receiving the Inheritance*）

《开始疯狂挥霍并向金发女郎敞开大门》（*The Start of the Spending Spree and the Door Opening for a Blonde*）

《七英石的虚胖者》（*The 7-Stone Weakling*）

《喝酒场景》（*The Drinking Scene*）

《崩溃》（*Disintegration*）

《疯人院》（*Bedlam*）

霍克尼在1961年夏天首次访问纽约，他用早期获奖蚀刻画的奖金作为旅费，这是艺术家爱上美国的开始。仅仅两年后，也就是艺术家完成伦敦皇家艺术学院学业一年后，霍克尼决定前往好莱坞，他从电影上得知那里是阳光永照的迷人天堂。虽然在那一刻，纽约的摩天大厦与酒吧的嘲令人异常兴奋。在《找已坠入情网》中，这幅作品以早就过时的流行歌曲为名，通过将都市场景呈现为一种有关庞大旅程行程表的插图形式——上面还印有艺术家的逗留时间，从而强调了他自己艺术的自传性特征。他将带有狡猾淘气鬼气质的自己，想象为摩天大厦间的小魔鬼。位于其胳膊间的一条信息写着"到皇后区上城区"，这是一句玩笑话，借用自城市地铁系统标注的指示牌。

《我已坠入情网》（*I'm in the Mood for Love*）　1961年

其渴望当地"火辣夜晚"的故事。呈现于画布上的书写迫使观众靠近阅读，也让他或她彻底融入霍克尼的图像当中，如在摩天大厦的一扇敞开的窗户中，一对紧紧相拥的情侣直观地阐明了艺术家在这个火辣的夜晚想要干什么（95华氏度的温度在深暗背景中清晰可见）。霍克尼在接下来的两三年中继续在自画像中使用书写笔迹，用一种匿名的绘画语言和类似于连环画的叙事风格来表明他的个性。1961年的《自画像》是这种规则的例外，这幅作品以一种相当自然主义的方式表现了霍克尼的容貌，同时将艺术家当时非常喜爱的图形样式与字体设计的因素融合在一起。

《自画像》（*Self-Portrait*） 1961年

　　从20世纪60年代中期开始，霍克尼就出现在他自己的相片中，虽然他现在认为自己早期的努力只不过是一种快照并贬低它们的价值，但这些照片也证明了一种非常特别的视角。镜像问题一次又一次地发挥作用，因为通过相机，眼睛总是能够直接**脱离**身体。霍克尼在其早期摄影中以不同的方式来反映这种限制。在双人肖像摄影《我和彼得·施莱辛格，巴黎，1969年12月》中，艺术家提出了一种不可能的交流方式——霍克尼转过头看着彼得，彼得坐在摄像机前面并向他的右边瞥去，那里正坐着霍克尼（他的表达似乎暗示着惊奇与怀疑，霍克尼坐在彼得的后面，因为彼得同时和相机一道位于他前面）。画面采用了两个单镜头拍摄，这是一种早期的"拼接"，是艺术家20世纪80年代拼贴照片的前兆。大卫拍摄了彼得，彼得拍摄了大卫。时间间隙再次出现，霍克尼用它来质疑摄影的真实性。

《我和彼得·施莱辛格，巴黎，1969年12月》(*Myself and Peter Schlesinger Paris December 1969*)　1969年

在这幅双联照片中，霍克尼和他当时的朋友似乎正彼此凝望，但每一张单独的照片都是由另一个人拍摄的。霍克尼的身体语言似乎相对轻松快活，他将自己拍摄成爱怜地望着彼得的样子，彼得则相反，他稍稍避开霍克尼，似乎表现出一种相当惊讶甚至多疑的表情。霍克尼肯定将这张拼贴快照完全视为一种轻松的图画游戏——贴在他的私人相册里——而不是用于出售。即便如此，事后看来，这幅中心虚空的图像，可被解读为一种两人之间疏远的编码语句，暗示了两年后的分手。

《自画像，伦敦》（*Self-Portrait, London*） 1970年

　　霍克尼再次回到1970年的双重摄影自画像的镜像当中，看起来就好像他们真的在拍摄艺术家捕捉自己投影的样子。双重摄影使得任何依赖观察创作自画像的技艺显露无遗，包括那些描画或涂绘的作品。和1954年的平版画自画像不同，镜像现在被视为更大构图的一种要素，让霍克尼在呈现其眼前之物的同时，表现其身后之物。在艺术家的早期平版画当中，形象大小早已与其使用的镜像大小保持一致——整个形象早已成为一种映像。霍克尼让自己成为观察者，正在记录他自己的行为。这些自画像的心理维度当然非常肤浅，展现的只不过是一种快速而简单的初步印象——一个打扮时髦的年轻人正在拍照。它们并未告诉我们任何有关霍克尼个性或心情的信息，只不过是拍摄艺术家正聚精会神于——同时也是被限制于——他的行动当中。

　　多年以来，霍克尼都不愿在自己的素描、油画和版画中，对自己进行直接的检视，并且他似乎发现，在没有人的时候拍摄自己的快照反而更加容易。当艺术家在旅途之中或是为其手绘图画寻找主题时，他通常都随手拿着相机，从而有充分的机会顺便抓拍自己，通常是在家里或旅馆房间的镜子中构建自己的形象。这就好像一个名人雇佣私人狗仔队到处跟着他。

《自画像，卡尔斯巴德，1970年》（*Self-Portrait. Karlsbad 1970*）

28

几年后的1975年，霍克尼创作了一幅不带镜像的非比寻常的摄影自画像，名叫《法国热拉梅的自画像》。艺术家并不想将自己和镜头分离开来，因而不得不拍摄他自己的双脚，包括众所周知的不成对的袜子，希望这个细节再加上手写的标题，能塑造出他的通用肖像。摄影似乎强调了其最终存在于观看才能而非观相术特征的身份。早在1900年，就有一位著名的前辈在木刻自画像中创造过这种摄影，他就是奥地利心理学家恩斯特·马赫。马赫特别关注知觉心理学，在他的自画像中，他希望论证一下，当手上没有镜子时，我们的知觉是如何工作的。马赫的作品显示了他自己从左眼所见的自我形象——一个扭曲的、碎片化的身体形象。根据时间的运动与变迁原理，马赫认为这种畸形的形象，是因为眼睛和身体其他部分之间存在不同间距所导致的结果。霍克尼在20世纪80年代的作品中，非常密切地触及这些问题，但他在1975年的照片，只不过暗示了马赫图像的存在，并未将这一单眼自我形象的姿势问题融入进去。霍克尼更喜欢借助油画与素描的媒介，来处理靠近观众的身体主题。他再次将自己的脚融入1983至1985年的照片拼贴画当中，以此来提醒观众他在摄影空间中的实际存在。通过这种方式，设法远离那种靠单眼观看的瘫痪独眼巨人的悲惨状态，霍克尼在对摄影家及其成就的分析中对这种状态加以强烈谴责。

1965至1977年被视为霍克尼一生作品的"自然主义"阶段。这是艺术家自其学院生涯以来第一次对直接观察的欣然接受，虽然他依旧很少近距离地观察自己。一直到1973年，当霍克尼已经清楚地意识到自然主义描绘和单点透视的局限性时，他创作了两幅自画像向他的偶像与榜样保罗·毕加索致敬，当时毕加索刚刚去世不久。紧接着，霍克尼决定在巴黎再逗留一段时间。这两幅蚀刻画中的第一幅是受通廊出版社（Propyläen-Verlag）委托创作的，这家总部设在柏林的出版商汇集了一系列当代版画向毕加索致敬。在霍克尼的投稿《学生：向毕加索致敬》（第30页）中，他将自己表现为一个稍许年长些的学生，夹着一画夹的素描来向大师展示，供其翻阅。在一篇写于1988年为霍克尼大型回顾展目录所作的文章中，艺术史家格特·席夫（Gert Schiff）强调了这幅版画的微妙讽刺："这个创意的睿智之处……在于这样一个事实，毕加索被描绘成我们所回忆的样貌，源自一张1916年在画家位于舒勒榭尔街（rue Schoelcher）的画室中拍摄的照片，也就是说，被描绘为一位35岁的立体主义创造者，带着咄咄逼人的年轻气概。相反，霍克尼将自己描绘成一个稍显脱俗的老成年轻人，戴着宽檐帽，这是浪漫主义晚期沙龙艺术家的特征。"因此，他将自己表现为不仅仅是生物学意义上而且是历史意义上的"年老"。席夫认为，霍克尼通过这张版画审问了他依旧在探寻的自然主义描绘模式。从1973至1974年开始，在这个主题的第二幅

恩斯特·马赫《自画像》(*Self-Portrait*) 约1900年

由于喜欢穿亮色且不成对的袜子这一虽谈不上怪异但非常规的习惯，霍克尼是少数几位只通过脚就能识别的艺术家之一。他强烈地意识到自己被构建的形象以及华丽的穿衣品位，艺术家幽默地表明，只要通过一小块碎片就可能实现瞬间识别。霍克尼将自己表现为躺在一个美丽的地方，从而迎合了视其为一个终身旅行家与享乐者的公众认知，但这在一定程度上只是一种诡计：事实上，即便是在休息与放松的时刻，霍克尼也都在努力创作。

《法国热拉梅的自画像》(*Self-Portrait Gerardmer France*) 1975年

从1960年开始，霍克尼就一直受到毕加索作品的启发。那时他再次参观了泰特美术馆的西班牙大师作品大型回顾展。1973年4月8日毕加索逝世，这再次促使霍克尼更加深入地去思考毕加索的作品，促使他对自身艺术发展方向逐步融入一种怀疑甚至批判的意识。霍克尼意识到自己受到了某种限制，这种限制是一种单一的、以照片方法为基础的观看世界的方式，并且他感到自己正处于失去自由风格的危险当中。早在十年前还是年轻学生时，霍克尼就曾以自由风格来要求自己。对毕加索在自然主义和更为抽象而概念化的观看方式之间闲庭信步的能力的反思之后，霍克尼开始为自己重建一种开放的表现模式。在《学生：向毕加索致敬》中，这幅作品是为纪念大师而委托的系列版画中的一部分，霍克尼将自己表现为手上夹着一个画夹的样子，谦逊地寻求他从未见过的画家的赞赏。在一年后的另一幅蚀刻画中，霍克尼很聪明地戏弄了一下毕加索"艺术家与模特"的主题，这次他将自己化身为一个裸体模特，让老画家对他进行身体检查。

《学生：向毕加索致敬》（*The Student: Homage to Picasso*） 1973年

变体画《艺术家与模特》中，霍克尼利用了毕加索最喜爱的主题，并将自己表现为一个年轻的裸体模特，和经典绘画大师一道坐在桌旁。这一次，霍克尼扮演了纯真弟子的角色，席夫称之为一种"对毕加索精神的纯粹容器"。

A.P. XVIII

David Hockney 74

《艺术家与模特》（*Artist and Model*） 1973—1974年

《有蓝色吉他的自画像》（*Self-Portrait with Blue Guitar*）　1977年

当霍克尼在1976年夏天开始为华莱士·史蒂文斯（Wallace Stevens）的诗歌《带着蓝色吉他的男子》创作一系列彩色蚀刻画插图时，毕加索依旧在他的脑中萦绕，因为这首诗本身就是受毕加索蓝调阶段早期绘画作品激发而来的。从1977年开始，在《有蓝色吉他的自画像》中，他将自己描绘为正在创作彩色墨水素描的样子，这是为蚀刻画所做的准备。这既是对身处画室的艺术家这一传统主题的延续，又是对富有想象力的生活主题的拓展，这一主题已经在相关版画中进行了探索。霍克尼朴实地穿着一件橄榄球衫，他的头专注地向下倾斜，他将自己呈现为一个全神贯注于作品当中的人，同时也是一个陷入沉思的人。围绕其周围的有关灵感、美丽、描绘、刻画、幻觉与绘画空间的幻想，通过着色半身像、插着郁金香的花瓶、各种家具组件（有的带阴影有的不带阴影）、虚拟木纹、窗帘以及大量抽象装置的形式迸发而出。

《自画像》(*Self-Portrait*) 1980年

在1977年的油画作品《有蓝色吉他的自画像》中，霍克尼将自己放置在一个虚拟空间中，他坐在桌旁并画着吉他的轮廓。艺术家在这幅画中融合了多种表现技法：精准的观赏性装饰线在画面空间飘动，小房子的轮廓，两把高度概括的椅子，以及坐在桌旁那充满自然主义风格的艺术家形象，桌子上有画具，身旁放着一瓶郁金香。虽然他的自画像相对来说是自然主义的，但这并不意味着源自仔细观察。当艺术家专注于他的素描时，他将自己表现为就像别人看他的样子，带有一种可预见的距离。最为现实的因素就是右手边的窗帘，向大家展现作品的空间并强调其具有的戏剧性——霍克尼在多个场合使用这一道具。他再次将自己表现为被自己的虚拟世界环绕的艺术家形象。

1980年前后，霍克尼询问马尔科·利文斯通，在他的作品全集当中，为何自画像如此之少："真的，我不清楚。亨利·格尔德扎勒总是敦促我画自画像。如果我孑然一身的话，我想也许我真的会画很多……我自认为对自己非常了解。我想，如果你要这么做，真的用心去描绘，那首先你得变得更孤独一些，这当然是我现在很多时间中所希望的样子……我认为我真的应该突然停下来。我承认，我回避了不少与自己有关的事情，就好像我回避了不少与生活相关的事情一样。虽然我知道不可能在那里发现一些诗情画意，但我还是彻底地回避了暴力。我必须承认那会令我感到恐惧，实际上，在某种程度上我根本不知道如何去处理它。我想我的作品进展非常缓慢。我花了好长时间去发现事物，当然我坚信自己的作品将变得更好、更丰富。我也假设，最终我会去画一些我更年轻时曾回避的事物，不管怎样，部分是因为你应对这些事物的几率将越来越频繁。"在同一时期非常少见的自画像当中，有一幅描绘霍克尼侧面的平版画，刻画非常细致的头部被放置在用大胆的粉笔线条勾勒的粗糙方框中。侧面自画像并不常见（尤其是因为技法的原因）并暗示了距离，呈现出一种观众无法与之沟通的人物形象。

在1983年和1984年间，霍克尼创作了一系列照片拼贴画，其中不少作品都具有一种自传性的特征。他们暗示了艺术家作为观众的存在，栖居于他自己描绘的空间当中。即便如此，只有拼贴画《当安妮·莱博维茨在拍我的时候我也在拍她，莫哈韦沙漠，1983年2月》无可非议地被称为一幅自画像。在此，霍克尼以一种对摄影诙谐的批评方式，将艺术家和模特的角色加以反转。事实上，这是大卫·霍克尼和安妮·莱博维茨相互拍摄对方的双人肖像作品。霍克尼展现了莱博维茨拍摄作品所需的技术

《当安妮·莱博维茨在拍我的时候我也在拍她，莫哈韦沙漠，1983年2月》（*Photographing Annie Leibovitz While She's Photographing Me, Mojave Desert, Feb. 1983*）

工作：独特的光线，两位助手，旅行车电池提供的电流。莱博维茨的结果就是为霍克尼拍摄了一张充满魅力但又符合传统的快照，艺术家的穿着像往常一样，并带着友善的微笑。相比之下极具讽刺意味的是，霍克尼的照片则通过更为简单的手段，构建出一个无边无际、更为真实复杂的场景表现。按照艺术家随后照片的发展过程来看，我们要感谢安妮这种结果的人为状态，相比霍克尼通过照片拼贴构建的表现来看，很明显这个状态显得更不"坦率"。

《自画像，1983年10月25日》（*Self-Portrait, 25th Oct. 1983*）

1983年下半年，人们看到一组规模庞大的素描自画像，艺术家在其中对自己进行了不屈不挠的细致审查。这些素描完全没有分阶段，而代之以潜心观察的直白呈现。这些霍克尼描绘自己的素描，有时是赤膊的，有时没戴眼镜，有时显得疲倦、腻烦而充满怀疑，但有时是一种更为积极的自信情绪。这些素描专注于本质，除此之外，只强调了面部的一些偶然细节。画面毫不犹豫地表现了手在描绘时的游走轨迹，并且这些打动人心的自画像，要比霍克尼到那天为止之前的任何一幅都更加真实。在此，自画像可以说是第一次产生了与艺术家的直接交流，这种交流源自一种内在的对话，但是向观众开放。这些素描暗示了行动和描绘之间的关系，从更为深远的意义来看，它相比任何照片都显得更为"纪实"。

在《自画像，1983年10月25日》中，霍克尼将手放在脸旁，以便凝聚目光并更为专注地观看——500多年前阿尔布雷希特·丢勒画的一幅令人瞩目的素描就已经表现过这一姿势。这种巧合无法证明霍克尼以丢勒的素描作为他自己的直接参照，但这记录了某种自我表现方法的一致性。炯炯有神的目光不亚于对面部最重要部位的关注，两幅素描都通过非凡的简约手法，再现了艺术家的存在及其富于洞见的凝视。

阿尔布雷希特·丢勒，《自画像，21岁》（*Self-Portrait, Aged 21*）（局部） 约1493年

早在20世纪80年代初，手——艺术的姿态——就已经回归霍克尼的绘画字典，同时，当艺术家在1982年到1986年之间拓展自己的摄影试验时，就在素描和油画作品中使用了大量自由的绘画语言。他也继续探索现代技术媒介，常常产生令人惊奇的结果。在其1986年的"自制版画"（第39页）中，艺术家将高科技的彩色复印机转变为一种印刷工具，由此创作的作品具有一种涂绘的自由，让人回想起马蒂斯晚期的作品。尤其是《寻找眼镜的男人，1986年4月》，这幅迷人的绘画作品是对霍克尼一系列讽刺自画像的延续，这一系列作品嘲弄了一个依赖眼镜的男人——现在的霍克尼已经49岁了，依旧戴着眼镜。

《系领带的自画像，1983年》（*Self-Portrait with Tie, 1983*）

《不戴眼镜的自画像》（*Self-Portrait without Glasses*） 1983年

《自画像，9月26日》（*Self-Portrait 26th Sept.*） 1983年

《自画像，9月30日》（*Self-Portrait 30th Sept.*） 1983年

《自画像，10月31日，明尼阿波利斯市》（*Self-Portrait, October 31st Minneapolis*）
1983年

《寻找眼镜的男人，1986年4月》(*Man Looking for His Glasses, April 1986*)

　　1986年，霍克尼在其画室独自创作的"自制版画"使用了办公品质的彩色影印机，为其刚刚在泰勒制图（Tyler Graphics）制作的技术非常复杂的"动态聚焦"版画，提供了一种解决方案。独特的"动态聚焦"版画系列，包括多达43张铝板，每一张所承载的印记，都将霍克尼的素描转印到清晰的胶卷之上。艺术家借助近似色层创造了"自制版画"，将每一层都通过机器不断复制，但是在这种情况之下，机器所使用的那些商用碳粉的标准色与黑色，严重制约了艺术家的独创性。为了获得某一特定密度的色调，有时候需要用同一颜色反复印制同一张版画。《寻找眼镜的男人，1986年4月》就是一幅构思最简单的作品，但也是将艺术家本人滑稽地呈现为一个耸肩弓背的近视者最为成功的一幅作品。至于《自画像，1986年7月》，霍克尼直接将他的条纹衬衫放在影印机上，以便使其合并为一种拼贴效果，一个支撑着滑稽而不平衡头部的半身雕像。

　　对页：在1983年秋天的六周内，霍克尼几乎每天都用木炭创作一幅自画像。他以前从未进行过如此强烈的审视。新爆发的艾滋病夺取了他朋友圈不少人的生命，他也被迫几乎每天都要面对伤亡，并花费更多时间在自己身上。公众都知道霍克尼是一个永远的乐观主义者，当研究自己的映像时艺术家卸去了面具，将自己表现为一种严肃、近视甚至沮丧的样子。

《自画像，1986年7月》(*Self-Portrait, July 1986*)

在2000年至2001年的新一轮自画像中，霍克尼再次以大幅木炭素描的形式，表露自身的严肃与坦率。这是其早期作品中经常忽略的地方，在很长一段时间内，艺术家都向世界掩饰他那偶尔表露的沮丧性情。1999年他母亲逝世带来的震动——即便是以98岁的高龄，似乎迫使艺术家重新估量自己的人生，并接纳自己终有一死的终极愿景。霍克尼准备优雅地变老，他不再染金发并开始迅速转变，从小捣蛋或金发男孩转变为一个德高望重的长者。这并不是说艺术家开始有意识地阐明自己生命的另一个阶段：他所显露的表情是任何充满内省与反思的人，在研究自身映像时都会表露的神态，而看似表明沮丧心态的神情，可能只是近视的证明。但是，霍克尼总是具有敏锐的自我意识，并且完全掌控他所表达的形象。通过创作然后展示这些素描，艺术家再一次重塑了他自己的身份。

伦勃朗，《张开嘴的自画像》（*Self-Portrait, Open Mouthed*） 1630年

《自画像》（*Self-Portrait*） 2001年

2000年秋季到2001年春季之间，在结束对投影转画仪的拓展试验之后，霍克尼用木炭创作了一系列令人印象深刻的素描自画像，让人回想起几乎20年前的作品。这一组新自画像包含了早期作品的真实性特征，但在画面处理上明显向前迈进了一大步。通过投影转画仪创作的作品，为霍克尼提供了描绘细节的高超技巧，这在以前从未见过，相比之下早期的素描则带有一些写生的趣味。在2000年和2001年的自画像中，霍克尼一如既往地直白。他的形象是一个充满困惑的老人，富有经验甚至智慧。表情时而沮丧，时而疑惑，但总是因其仁慈而令人感动，并且完全没有侵略性。艺术家依旧全神贯注于时光的流逝，并且他的兴趣很明显集中于面部以及形象边缘的粗略描绘。这些素描几乎以真人等大的尺寸来描绘霍克尼，位置也非常贴近观众。在1999年，霍克尼已经参观过伦敦国家美术馆举办的伦勃朗自画像展览，这次展览激发了艺术家自画像的新灵感。从2001年开始的这些新自画像，其中有一幅描绘了霍克尼在注视镜子时的斜视神情，这是一种对伦勃朗微小蚀刻版画中面部表情的模仿，透露了这次展览对艺术家的影响。即便如此，鉴于伦勃朗蚀刻画的作用在于，通过描绘各式各样的面部表情，从而形成一种包含不同表情的目录，因而霍克尼的素描坚持与观众作更密切的交流。

2 March 01

《自画像，2001年3月2日》（*Self-Portrait, March 2. 2001*） 《自画像，2001年3月2日》（*Self-Portrait, March 2, 2001*）

《我的父母》（*My Parents*） 1977年

2 家庭

马尔科·利文斯通

考虑到霍克尼艺术中具有不少自传性成分,因而在其作品中不断出现与他联系紧密的家庭形象就具有了某种必然性。他的三个兄弟 (保罗、菲利普和约翰) 和他的一位姐姐 (玛格丽特) 成年后就散居于世界各地,菲利普和约翰都定居澳大利亚,玛格丽特在返乡之前曾在新西兰、澳大利亚和赞比亚做护理助产士,只有保罗依旧生活在家乡约克郡。结果,长期居住在加利福尼亚的霍克尼,只能在他们偶尔见面的时候为之绘制肖像。即便如此,他们的父母依旧待在布拉德福德的同一座排屋内,1937年7月9日霍克尼就出生于此。在所有的家庭成员当中,艺术家母亲在霍克尼的作品中出现得尤为频繁。

霍克尼父母的肖像,包括单独的和在一起的,如同友好的问候一样,不时地介入他的创作当中。当艺术家的生活变得更加刺激的时候,这种对籍贯的提醒有助于保持他的双脚坚定地扎根大地。作为一个经常出现在时尚杂志和随笔专栏中的名人,霍克尼不断地提醒自己——也提醒我们——他始终是其母亲的儿子。将艺术家父母的肖像按顺序展示,可以追踪他们衰老的过程,从中年到退休后的岁月,直至毫不畏缩的耄耋之年。和霍克尼的常见题材一样,艺术家通过各种多变的风格手法和媒介来描绘他们,包括铅笔、钢笔墨水和彩色粉笔素描、油画和丙烯画、蚀刻画、平版画和照片拼贴。

《我父亲的肖像》(第46页) 创作于1955年,当时霍克尼还是布拉德福德艺术学院的17岁学生,这幅作品是艺术家现存最早的一幅油画。画面中的微妙色调与对外形的细致刻画,很大程度上归功于20世纪30年代所谓的尤思顿·路德 (Euston Road) 画派画家的榜样,特别是威廉·科德斯特里姆和维克托·帕斯莫尔,他们微妙甚至保守的作品成为当时英国艺术流派的重要力量。霍克尼的油画采用的薄涂笔触,最终受惠于19世纪晚期维亚尔和勃纳尔的亲情主义 (Intimisme),他的作品是对其父亲充满深情与恭敬的描绘。他的父亲所具有的古怪行为与固执己见,直至1978年逝世后也一直成为家族传奇的素材。从这张作品当中,我们无法推测模特是否热衷于对政治或抽烟的坏处侃侃而谈,或是希望写信给约瑟夫·斯大林 (Joseph Stalin) 和毛泽东,

《我父亲的肖像》(*Portrait of my Father*) 1955年

肯尼斯·霍克尼穿着黑色西装，感觉就像是衣冠楚楚的花花公子一样，双臂紧抱，就好像他支持他的儿子成为画家的伟大志向。作品以组画形式在利兹市立美术馆展出，这被视为画家的第一次拍卖。几年后，这幅画被拍卖并回到画家手中，霍克尼非常高兴再次拥有这幅具有典型个人印记的早期作品，因为这是他成为职业画家迈出的第一步。

《在工作室的父亲，约克郡布拉德福德》（*My father in his workroom. Bradford Yorkshire*） 1969年

或是因为劳莱与哈代（Laurel and Hardy）的节目而哈哈大笑。但是嘴角的朦胧微笑捕捉到某些顽皮的个性特征，在这一点上年轻的艺术家一定是有所继承。他身后的镜子也暗示了肯尼斯天生的好奇心，因为正是他自己坚持要建立一个镜子系统，如此就能看清楚画布上正在创作的东西。

在《被艺术装置环绕的肖像》（第49页）中——这幅作品创作于首幅油画肖像的十年后，霍克尼再次以一种非常相似的坐姿描绘他的父亲，这次他环抱着胳膊，手指交叠在一起，并且还是四分之三的侧面视角。尽管标题写明是肖像画，但是，此处关注的并非是作为肖像的绘画功能——这不是一幅个性鲜明的肖像，特别是以灰调子来概括头部——而是提供一种契机，来展现画面的涂绘痕迹与传达空间感的功能之间的关系。人物面前的圆柱体堆积成一种金字塔形，并带有一种吞没形象的威胁感，这是一种对立体主义玩笑般的借用，除此之外，也与塞尚的格言相关，塞尚认为大自然中的一切事物都可简化为圆锥体、圆柱体和球体的最基本形式。

Paris Jan 1974.

《被艺术装置环绕的肖像》(*Portrait Surrounded by Artistic Devices*) 1965年

　　1973年至1975年，霍克尼在旅居巴黎的两年间，创作了一系列彩色粉笔单人肖像，这些作品画幅庞大且刻画完备，描绘的都是拜访他画室的访客。每一个人都坐在同一张不带扶手的椅子上，并采取了一种自然的姿势——有时是无精打采的样子（第110页），有时是一种非常正式的姿势（第104页）——这些都显露了一些模特的性情。每一幅素描都是在一场持续三四个小时的单独对话中完成的。

　　色彩丰富的线条拱门将霍克尼的父亲框在里面，这和霍克尼非常崇拜的画家弗朗西斯·培根采用的手法相似，以此来描绘有如房间的围墙，但不诉诸传统手段——即采用透视或致幻的手法描绘形式，从而表现魔术般的空间。人物坐在（或者，更准确地说是悬停在）半圆形的平台之上，不祥的蓝色阴影有如灵气一样从他的腿部向外蔓延，这在霍克尼欣赏的经典绘画大师作品中也能找到先例。

《我的父亲，巴黎，1月》(*My Father. Paris. Jan.*) 1974年

在《艺术家的母亲》（左图）中，劳拉以一种稍许不自然的角度坐着，为了给儿子提供一个更有趣的四分之三侧面视角，她坐在角落里的一张高背椅上。霍克尼用非常灵巧的笔触勾勒了椅子的形状，椅子支撑着这位刚过70岁生日的母亲早已虚弱的身体。非常简练的平行线和交叉阴影，界定了脖子和右臂投射的阴影，从而创造出一种空间感，让人感觉就好像是一种平面的线条图案。同一年创作的更具装饰色彩的粉笔肖像（右图），将那条不起眼的带圆点的裙子表现得特别灿烂，这条裙子也同样出现在三年后的另一幅作品《我的父母和我自己》（第55页）中。这张素描同样显露出无可争辩的美，但在心理方面则表现得比较温和。

《艺术家的母亲》（*The Artist's Mother*）　1972年

霍克尼的母亲劳拉多年来被证明是一位极为亲切的模特，要比她的丈夫更有耐心，她总是希望在儿子身上多花费一些时间并帮助他创作。她的一生都奉献给她的丈夫和五个孩子，操持家务并定期去卫理公会教堂做礼拜。在霍克尼的作品中，她看上去好像是沉默、羞怯而谦逊的，这种人"不会遇到任何麻烦"。当霍克尼20岁搬出家以后，首先服了两年兵役，虽然他是个出于信仰而拒服兵役者，接着在伦敦皇家艺术学院学习，最终定居加利福尼亚，直到20世纪70年代早期他才再次回伦敦生活，由此艺术家有更多机会去定期探望父母并描绘他们。即便如此，在此期间，他依旧通过电话与父母保持密切联系，特别是和他的母亲。当她于1999年5月11日以98岁高龄去世时，霍克尼说，直到那一天他才永远知道母亲在哪里，并能和她说说话。

《艺术家的母亲》（*The Artist's Mother*）　1972年

Mother. 1972

《我的母亲和鹦鹉》（*My Mother with Parrot*） 1973年

《我母亲20岁的时候（源自照片），作为多古斯塔夫·福楼拜〈一颗纯真的心〉中全福的研究》（*My Mother at the Age of Twenty [from a Photograph] as a Study for Félicité in "A Simple Heart" of Gustave Flaubert*） 1973年

每一次返回英格兰的途中，霍克尼都会回约克郡探望他的母亲。每一次素描、油画或照片拼贴的最新创作，都会记录下这一相见的场景。合在一起看，这一最频繁出现且最具耐心的模特肖像系列，不仅仅为艺术家的艺术发展和多才多艺提供了明确的证据，同时也证明了霍克尼的艺术最打动人心的特性就是人性与情感。相比艺术家的其他任何题材来讲，在很大程度上，他的母亲总能证明自己是其肖像创作中的一位心甘情愿的参与者，不知疲倦地顺从于艺术家对姿势的要求，并总是对结果做出积极回应而不带一丝虚荣。

1973年初，霍克尼在加利福尼亚逗留时迷上了古斯塔夫·福楼拜的小说，并决定在返回英格兰之后尝试为一则福楼拜的故事创作插图，这就是出自《三个故事》（*Trois Contes*）中的《一颗纯真的心》，艺术家对这则故事抱有持久的特殊情感。虽然并未有出版社打算对此出插图限量版，但他还是决定以蚀刻画的形式来创作插图，这些作品随后在那一年以单行本形式出版，不带任何文字。将母亲描绘为小说的主要角色全福，这对霍克尼来说再自然不过了，艺术家既画了她年轻时候的样子——借助一幅老照片的指引，也画了中年时的样子。

《今日我的母亲：作为多古斯塔夫·福楼拜〈一颗纯真的心〉中全福的研究》（*My Mother Today: as a Study for Félicité in "A Simple Heart" of Gustave Flaubert*） 1973年

霍克尼在这幅作品中经历的困难，也许是因为表达一种有关其父母关系的重要陈述为其带来的压力。墙上的三角形和霍克尼在镜子中的反射影像，构成了这种尝试的一部分，表明艺术家希望将自己作为故事的一部分融入其中，但也正是这种轻微的变形效果，让人感觉他成了问题的一部分。最终，霍克尼放弃了这种尝试，保持了作品的不完整状态，并在1977年创作完成了作品的第二个版本《我的父母》（第44页），画幅尺寸完全一样。虽然人物形象几乎源自写生，但他们在构图中的姿势和正式角色，是借助霍克尼自己的照片建构而成的。

《我的父母为〈我的父母和我自己〉做模特》（*My Parents Posing for 'My Parents and Myself'*） 1975年

《我的父母》（第44页）完成于1977年，一年后他的父亲去世，这成为艺术家一个长久抱负的最终作品。早在1968年，霍克尼就希望能从爱子的角度来描绘父母，从而完成一整套双人像。正是在1973年，当劳拉住院做手术的时候，描绘他们夫妇二人的想法，就已经在艺术家的内心生根发芽。正如霍克尼在1980年解释的那样："我的父亲每天都会去医院一段时间，但他在家的时候，从来都不会坐下来和我的母亲聊会儿天。他会忙他的，而我的母亲则会忙点别的什么。正是那时候我意识到，人们会以很多其他方式来交流，而不总是聊天，特别是那些彼此都很熟悉的人。他们结婚45年（自1929年开始），如果你和某个人共同生活45年，你会熟悉很多表情、小动作，它们的含义是什么，你也知道如何解释这些含义。我想正是在那时候，我确定那正是我想要尝试并处理的题材。"

在霍克尼的第一次尝试中（《我的父母和我自己》），这是以同样尺寸创作的第二个版本开始前抛弃的那个版本，艺术家将他在小镜子中的映像加入其中，小镜子正好放在中间的手推车上。可能是觉得这个装置实在是太唐突或太明显了，在最终作品中，艺术家代之以皮耶罗·德拉·弗兰切斯卡《洗礼》（*Baptism*）的一小块片段（这是他最喜爱的经典绘画大师的作品），以及一段窗帘的细节，这是在1976年作品完工前加进去的。通过这种方式，也通过其中夹杂的夏尔丹的画册和一整套马塞尔·普鲁斯特的多卷本小说《追忆逝水年华》（*Remembrance of Things Past*），他将观众的吸引力转移到绘画的起源、作品与艺术史之间的关系以及记忆在描绘人物时所起的作用，这些人物都是霍克尼倾其一生细致观察的人。此外，在霍克尼放弃第一个版本的

《我的父母和我自己（未完成）》(*My Parents and Myself* [*unfinished*]) 1975年

时候，他的父亲找到了当模特的同时也可以做的事情，从而让场景的气氛显得更加自然。当劳拉·霍克尼非常直率地面对她的儿子、为他全神贯注的时候，父亲则翻阅着亚伦·沙夫（Aaron Scharf）的著作《艺术与摄影》(*Art and Photography*)。这为解读作品提供了线索，不只是将其作为一种一丝不苟的手工家庭快照，而且也是一幅以同样标准脱胎于直接观察和摄影的图像。

《母亲，布拉德福德，1978年2月19日》(Mother, Bradford. 19 Feb 1978)

《母亲，布拉德福德，1983年6月27日》(Mother, Bradford June 27th 1983)

艺术家母亲神情异常伤感地坐在那里，通过她坦率而坚定的目光与儿子做交流，这幅作品描绘的正是其丈夫举办葬礼的当天。霍克尼创作这幅素描的时候，正是他们伤心欲绝的时刻，他将自己的艺术当作家庭悲痛的一种极端的个人表达方式。正如艺术家两年后回忆的那样："当我父亲去世时，这是我最最亲密的亲人当中，第一个逝世的人。我以前从未表现过死亡这一题材。"

从20世纪60年代中期开始，霍克尼就创作钢笔墨水素描，1978年，霍克尼简略地体验了一下钢笔墨水素描的变体——棕黑色墨水和芦苇笔，这和凡·高在19世纪80年代末使用的类型相似。借助线条与痕迹的厚薄多变，以及在任何时刻都会在笔尖留下的墨水浓淡变化，这种媒介特别适合处理那些更具情感的主题。那年的2月18日和19日，霍克尼为他母亲创作的伤感肖像就是如此，那天正是艺术家父亲葬礼的前一天，当时的场合本身就很悲伤。

很明显，霍克尼的母亲在晚年时头脑还是很灵活，擅长玩填字游戏就是最好的说明。这幅快速完成的作品使用流畅的钢笔画线条，并从近期照片拼贴的多重曝光中得到启示，证明了霍克尼短暂的"新立体主义"阶段作品的生动活泼。

《正在玩填字游戏的母亲，1983年6月》（*Mother with Crossword Puzzle, June 1983*）

劳拉·霍克尼毫无疑问是她家的女王，这从她的言行举止就可看出来，她坐在好似王座的女性天鹅绒椅子上。她的继位人表现为童年时代的样子，这可以从她头顶上方的一幅嵌在银色相框内的家庭照片中看出来——这和卡通气球"思考"中展示想法的方式一样。佩斯利漩涡纹花呢服装与植物纹饰也彼此形成对比，这也为肖像提供了另一种更为丰富多彩的视觉层次。

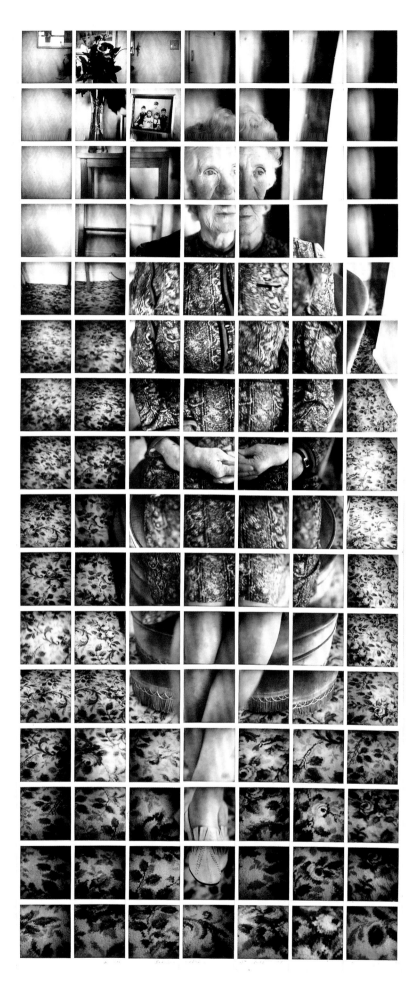

《母亲，布拉德福德，约克郡，1982年5月4日》（*Mother Bradford Yorkshire 4th May 1982*）

《我的母亲，安·厄普顿和戴维·格拉夫斯。哈里·兰姆斯登鱼和薯条店，布拉德福德，1982年5月5日》（*My Mother, Ann Upton + David Graves. Harry Ramsdens Fish + Chip Shop Bradford 5th May 1982*）

1982年2月底，霍克尼创作了他的第一张宝丽来"拼贴照片"。4月底刚刚乘坐飞机返回伦敦，他使用了同一媒介创作了多幅不同朋友的肖像，大部分都是在他自己的画室中拍摄的。仅仅数日后，他和朋友安·厄普顿和戴维·格拉夫斯到约克郡旅行，两人在1983年5月结婚并成为一张拼贴照片和一张蚀刻画的主题，这张照片记录了他们和艺术家的母亲在最著名的鱼和薯条店共进午餐的场景。与照片的叙事目的和动态运动相对比，5月4日在家中拍摄的这张7×16网格的宝丽来照片，用一种高贵的沉静与丰富的装饰来描绘艺术家的母亲，赋予其官方皇室肖像的品质。

《拼字游戏，1983年1月1日》（ *The Scrabble Game, Jan. 1, 1983* ）

从8月初开始的数月内，霍克尼使用35毫米或紧凑型110相机，以更为复杂的构图策略拍摄了很多拼贴照片，并开始制作许多具有反常形状的图片，例如《我的母亲，博尔顿修道院，约克郡，1982年11月》（第62页），通过一种锯齿状的外形轮廓与研究的视角范围保持一致。与强调环环相扣形状的宝丽来"拼贴照片"更为正式的结构相比，这种拼贴照片将人们的注意力引向更具戏剧性的空间交叉与穿越。它们也为讲述故事提供了更多的因素。如果宝丽来拼贴照片可以比作对基本静止的主题的细节描绘——这些主题都是从相对紧凑的时间内的不同角度观看得来的，那么照片拼贴有时候也更像是一种费解的传说，用美国民间话语来讲就是"奇谈"，充满了意料之外的轶事象征和令人愉悦的偏差。

《拼字游戏，1983年1月1日》表现了一种轻松诙谐，任何玩过这个游戏的人都适用。戴维·格拉夫斯、安·厄普顿和劳拉·霍克尼的面部表情简直就是跌宕起伏：从思考、兴奋、绝望到愉悦和毫不掩饰的欢快。从对拼字木板的一瞥中，我们可以发现这样几个神秘而恰当的单词，如"BOSS""SCOWLS""SOBS"和"VEX"，这让我们怀疑游戏者——包括艺术家本人——作了弊或篡改了证据。前景中面向我们的七个字母——LQUIREU——乍看之下对得分毫无帮助。为什么别人总是得到好字母，而我们总是这么背？霍克尼对使用多重静止照片表达时光流逝的可行性激动不已，他在这里建构了一种特别迷人的故事，不仅生动地表达了行为过程，也让我们看到了一种正在工作的人类心灵的形象。

《姐妹，布拉德福德，约克郡，1983年1月》（*Sisters, Bradford, Yorkshire, Jan. 1983*）

　　照片拼贴具有一种固有的主观性，同时也是艺术家心理活动的过程与标志。在此，霍克尼的棕色皮鞋鞋尖为他和母亲之间的位置，构建起一种真实而令人激动的亲密。虽然博尔顿修道院作为一处浪漫的废墟，是约克郡广受欢迎的景点，但艺术家选择在这里为他年迈寡居的母亲创作肖像，大大增加了图像作为一种关于死亡、孤独和对往昔云烟之沉思的辛酸。

《我的母亲，博尔顿修道院，约克郡，1982年11月》（*My Mother, Bolton Abbey, Yorkshire, Nov. 1982*）

《母亲肖像I》（*Portrait of Mother I*） 1985年 　　　　　　　　　　　　《母亲肖像II》（*Portrait of Mother II*） 1985年

　　霍克尼在20世纪80年代中期创作的一系列"动态聚焦"平版画，代表他在探究立体主义经验时到达的巅峰。这些作品极为复杂，尺幅巨大，描绘了诸如墨西哥旅馆院子此类的建筑空间，使用了多视点、"反转"透视并鼓励观者改变自己的视角，具有一种卖弄式的形式主义。但是这一系列同样包括其朋友格雷戈里·埃文斯和西莉亚·伯特威尔的巨幅肖像，以及三幅关系更为亲密的艺术家母亲的肖像。在面对这些艺术家对其饱含特殊情感的人时，霍克尼暂且将他那有时令人不快的劝诱改宗行为搁在一边，转而专注于如何表达她的仁慈。

《母亲肖像III》(*Portrait of Mother III*) 1985年

《母亲》（*Mum*） 1988—1989年

这些霍克尼母亲及其哥哥保罗的肖像都充满了生气,色彩和笔触的活力证明了作品创作的时间很短。在为伦敦举办的重要巡回回顾展做准备时,艺术家做出了一系列的疯狂举措,这些作品正是这一时期的创作结果。

《保罗·霍克尼》(*Paul Hockney*) 1988年

霍克尼对尝试新事物的兴奋之情,常常让他能够在数月时间内,有时候长达一年之中,非常紧张地探索某一特殊的媒介或风格,从而导致大量新作品在其工作室中诞生。1988年2月,在洛杉矶市立艺术博物馆举办了艺术家绘画作品的大型回顾展。在同年为该展在伦敦泰特美术馆的展出做准备时,他开始以朋友和家庭为题,创作非常清新、充满活力的小幅油画肖像,目的是为了在伦敦展示他们中的一些人,以此作为艺术家新近创作方向的一种反映。霍克尼后来回忆道:"他们和几乎所有的模特都不一样——我的意思是他们从不奉承。"但诸如1988至1989年《母亲》这样的作品,包括他们真人等大的简略头像,具有一种特殊的凝视效果和处理方式,晚年的霍克尼将一再重复这种绘画形式。通过直接观察进行快速写生,这些作品具有一种速写的自发性与类似于线描的概括性。

《母亲》（*Mum*） 1994年

《母亲，1994年3月10日》（*Mum, 10 March 94*）

　　《母亲，1997年3月1日》是一组小幅油画中的一幅，1997年夏天展出于霍克尼在伦敦安内利·朱达（Annely Juda）画廊举办的首次个展"鲜花、面孔与空间"（Flowers, Faces and Spaces）当中。作品再次使用了接近真人大小的尺寸，鲜艳的色调有时甚至过了头，野兽派的色彩与同样强烈的单色背景相对，从而使这些朋友和家人的头像具有一种对抗性的率真。对于一个常常与"更加漂亮的"绘画联系在一起的艺术家来说，这些作品具有一种非典型的生硬技法，这和他们对至亲之人苛刻而直率的描绘很是相称。肖像画能否过于诚实？我们是否准备好了去观看大特写镜头下老年妇女被风霜蹂躏的面容，那些深深的皱纹好似风化的景观，或是注视她那紧闭的双唇向下弯折，以此来证明生活体验的情感代价？当作品第一次得以展示时，这些肖像让观众感到粗糙、丑陋甚至庸俗，当然和霍克尼早期肖像素描的精细相比的确如此，但又不容忽视。技法的气势，笔触的大胆，色彩的生动，模特坚定的目光，尤其是

《母亲，1997年3月1日》（*Mum, March 1, 1997*）

《熟睡的母亲，1996年1月1日》（*Mum Sleeping, 1st Jan 1996*）

身体的亲密感，都促成了一种令人惊奇的身体感受，就好像在作品中有另一个人的存在那样。

　　霍克尼的艺术和他之前的马蒂斯的艺术一样，有时候被指责情感范围过于狭隘，报喜不报忧。他本人也承认有些关于生活的方面，例如暴力，是他不愿去描绘的东西。从20世纪80年代开始，艺术家由于朋友的频繁离去而经历的那种强烈的悲哀，在他的作品中只留有一些间接的痕迹。但强烈的母子关系却很明显，最终在他的作品中呈现出更多的忧郁与沉思的心情。在劳拉·霍克尼去世三年前，霍克尼画了她熟睡的

《玛格丽特和肯，布里德灵顿》（*Margaret and Ken, Bridlington*） 2002年

样子，就好像处于临终之时，她那患关节炎的手因为疼痛而蜷缩着。虽然这些肖像弥漫着忧郁和肉体的痛苦，但也标志着一位孝子对他同样溺爱的母亲，满怀的一种伟大的温柔与赞美。

当听到母亲病情恶化的消息时，霍克尼从美国赶回到约克郡的布里德灵顿，劳拉和她的女儿玛格丽特及女婿肯·魏森住在那里。在母亲最后的日子里，霍克尼创作了很多关于她的素描，为了自我宽慰并让自己分心，并且再一次强调了艺术家对母亲一如既往的依恋。他陪伴母亲直到最后一刻。

《房间，塔扎纳》（*The Room, Tarzana*） 1967年

3 爱人与朋友 I：1960—1977

马尔科·利文斯通

霍克尼很早就选择将他的生活环境用作绘画的主题，将私人生活带入公共领域，这让艺术家得以很自然地描绘他的朋友，并真诚地谈论他迥异的性向。他在20世纪60年代早期的绘画，将儿童艺术和稚拙艺术所具有的那种原始艺术语言，当作一种表达年轻人尴尬激情的恰当方式。那些霍克尼学生时代创作的作品，赞美了男人之间的相互倾慕，有时候艺术家称之为他的"同性恋布道"绘画。创作于1960年的《黏合》（无插图），作为这些作品中第一幅最直白的作品，宣泄了19世纪美国诗人沃尔特·惠特曼赞颂的那种粗俗的肉欲。通过一组简单的数字编码，我们很容易看出右面的人物就是惠特曼，因为数字23.23等同于字母W.W；他的玩伴4.8当然就是大卫·霍克尼本人。

20世纪60年代早期霍克尼作品中的人物通常更多地体现为一种形象的编码，通过题词进行辨认，而不是艺术家试图表达的真实个体。一系列绘画都是如此，包括《我们两个男孩抱在一起》（无插图），这幅画中就包含了年轻流行歌手克利夫·理查德，霍克尼非常迷恋他，在理查德的主打歌《洋娃娃》发布后，艺术家就只视其为娃娃男孩（数字"4.2"）。即便如此，早在1962年，霍克尼就开始描绘真人肖像。在《为我写生》（第75页）中，艺术家描绘了他的朋友莫·麦克德莫特（在艺术学院时莫就自愿做霍克尼的模特）不安地从一个位置移动到另一个位置；通过这种方式，他让学院写生绘画传统所习惯带有的那种枯燥气氛变得更加活跃。在同年的另一张绘画作品《初婚》（The First Marriage）（无插图）中，霍克尼在往昔和现在之间，创建了一种诙谐但不太可能实现的联系，他描绘了一个年轻的美国朋友，站在一个数千年前的埃及公主的塑像旁边。《家庭场景，诺丁山》（第74页）则是1963年创作的数幅标题相似的作品中的一幅，再次描绘了裸体的莫，这次是站立着，在一个普通的客厅中，漠不关心地抽着烟；坐着的侧面男子是时装设计师奥西·克拉克，他和霍克尼同时成为皇家艺术学院的学生，和莫一样经常出现在霍克尼的作品中。

《家庭场景, 诺丁山》（*Domestic Scene, Notting Hill*） 1963年

1962年夏天，当时霍克尼已经从皇家艺术学院毕业，他将自己的男模特莫·麦克德莫特带到他的写生课上来摆造型。《为我写生》是艺术家为莫创作的第一幅绘画，莫就好像一堆没有肉体的衣服在那站着、坐着。通过为**他**写生，霍克尼满足了学院的要求，但更重要的是表现了他自己的经历。

《为我写生》（*Life Painting for Myself*） 1962年

《戏中戏》（*Play within a Play*） 1963年

多梅尼基诺《阿波罗杀死独眼巨人》（*Apollo Killing Cyclops*）
1616—1618年

对外貌和特征的关注在诸如《戏中戏》（1963年）的作品中得到更进一步的强调，这是霍克尼对其经纪人约翰·卡斯敏（John Kasmin）被艺术禁锢的一种幽默表现。即便如此，直到1964年初定居洛杉矶之后，霍克尼才更加积极地关注肖像画。他在那里创作的第一批肖像画，就好像艺术家早年创作的作品一样，极其依赖杂志上的年轻裸体男子照片。因此，这个时期的许多人物都具有一种匿名的特性，从不尝试捕捉面部特征。又过了两年，霍克尼才真正将重心转到肖像画上来，正如1966年《尼克·怀尔德肖像》的标题所表明的那样。为了描绘他的艺术经纪人朋友，照片再次成为一种必要的参考工具，但现在，照片被专门用来研究——在年轻英国画家马克·兰开斯特的例子中——而非简单地从别处挪用。这幅巨大的油画，以及同年名为《正在离开尼克泳池的彼得》（第80页）的配对作品，都成为著名的泳池系列作品的一部分，霍克尼在1964年至1967年间创作了这一系列，通过将创作环境设置为怀尔德的别墅和泳池，从而暗示了他是一个颇具名望的富人。实际上，怀尔德只是租住了一个带公共泳池的普通公寓。但正如霍克尼明确承认的那样，幻想和自我表现是真实身份的重要组成部分。

约翰·卡斯敏——朋友们都称他为卡斯——在一次学生作品展中看到霍克尼的作品，毫不犹豫地为他提供代理，1963年他为艺术家举办了第一次个展。《戏中戏》就画于那一年，滑稽地描绘了年轻的伦敦艺术商人被艺术禁锢的样子。在画面中，艺术商人被卡在一块玻璃和一幅编织挂毯的涂绘错觉之间。在这幅作品中，霍克尼借鉴了17世纪早期绘画的一些表现手法，多梅尼基诺的《阿波罗杀死独眼巨人》当时正入藏伦敦国家美术馆。在三年后创作的一幅泳池系列重要绘画中，另一位画商尼克·怀尔德被更微妙地认定为一位被艺术形塑的人：他站在泳池的浅水区，看上去更像是一座雕塑。

《尼克·怀尔德肖像》（*Portrait of Nick Wilder*）　1966年

　　虽然《比弗利山庄的女主人》(1966年)并非委托肖像，但作品完成后就被收藏家贝蒂·弗里曼购买，画面中的贝蒂穿着一件优雅简练的衣服，站在她那"牧场风格般的"房子的广阔空间中。霍克尼在其第一次延期逗留于洛杉矶时认识了贝蒂，她同意为艺术家的素描和快照做模特，随后艺术家在工作室中以此为基础，画出了几乎真人等大的肖像画。正是从那时起，霍克尼开始寻求一种自然主义的风格，特别是作为一种人像处理的方式，将其表现为令人信服的存在而非抽象的符号。用平行白线来表达移动玻璃门上的映像，这种简略的处理方式并非源自直接观察，而是更多地要归功

　　识别画面中的贝蒂·弗里曼并非因为面貌特征而是因为她的品位：光滑的现代建筑、艺术收藏（画面中呈现的苏格兰艺术家威廉·特恩布尔的图腾塑像）、精心照料的花园，以及豹纹躺椅和悬挂的战利品羊头所体现的异国情调。这不仅仅是一幅肖像，更是一幅社会观察的杰出作品，是18世纪英国"风俗画"的当代体现。

《比弗利山庄的女主人》(*Beverly Hills Housewife*) 1966年

于连环画或邮购目录的传统。虽然对女主人的面部容貌和发型的关注使形象与真人颇为相像,但这顶多算是一种图式化的表达方式;正如标题表明的那样,她的存在更多的是作为一类人的代表,而非某一特殊个体。

《正在离开尼克泳池的彼得》（*Peter Getting Out of Nick's Pool*）　1966年

这幅画连同同年创作的《尼克·怀尔德肖像》（第77页）一起，是霍克尼首批主要作品中被明确作为肖像画加以构思的作品。事实上，"尼克的泳池"就是怀尔德所住公寓大楼的公共泳池，彼得的形象源自一张宝丽来照片，在照片中，他的双手撑在一辆旧汽车的引擎盖上。

一部分霍克尼最自信的钢笔素描,描绘的都是他当时的朋友彼得·施莱辛格。通过一种令人惊叹的简约线条,艺术家将生命注入他那苗条的身体,既捕捉到他的相貌,又捕捉到他的各种心情和面部表情。在《梦想客栈,圣克鲁兹市,1966年10月》中,彼得身体的美妙,用细铅笔勾勒的轮廓,都因用彩色粉笔塑造毗邻形状的厚重涂抹而得以增强。彼得的被动性颠覆了一种悠久的传统,那就是只有女性的身体才被暴露在观众的凝视之下。

当1966年霍克尼在洛杉矶遇见彼得·施莱辛格时,后者还是一位18岁的大学生。在接下去的五年中,他被证明是艺术家此生的挚爱,成为一位最受宠的模特。霍克尼希望捕捉他对彼得的强烈情感,当然也包括彼得的身体美,这些都在很大程度上促成了艺术家向一种更加自然主义的描绘方式的突然而坚定的转向。这种转向既体现在他以钢笔墨水描绘的有如艺术名家般的草图上,也体现在诸如《正在离开尼克泳池的彼得》和《房间,塔扎纳》(第72页)的油画当中。1980年,霍克尼和彼得分手九年后,艺术家还是满怀深情地谈论道:"我在加利福尼亚遇见的这个小男孩,非常迷人而且聪明,求知欲强,这太令我感到不可思议了。在加利福尼亚,你会遇到不少求知欲强的聪明人,但通常他们都不是你想象中的男孩。对我来说,这太难以置信了;这更真实。这是一个你能与之交谈的真人,所以幻象的部分消失了。"

《梦想客栈,圣克鲁兹市,1966年10月》(Dream Inn, Santa Cruz, October 1966)

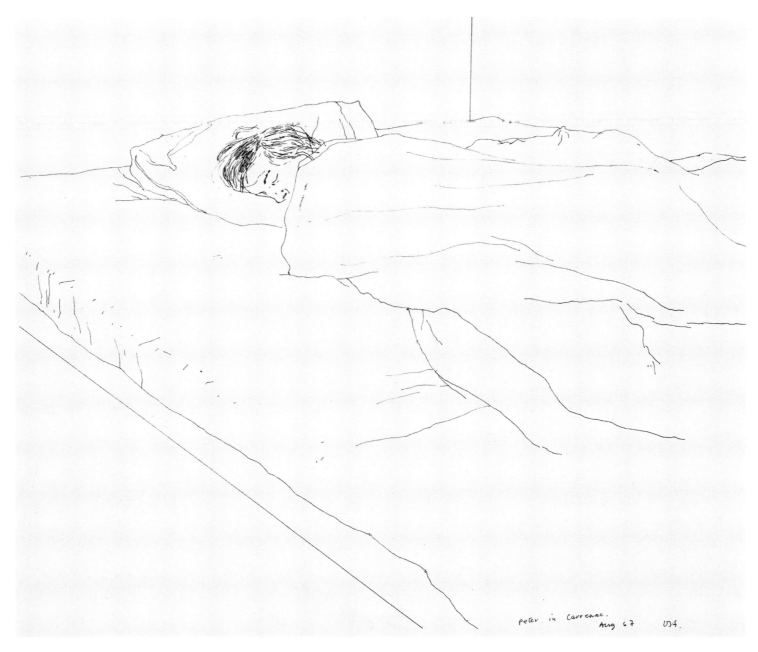

peter in Carennac.
Aug 67   DH.

《彼得在卡雷纳克》（*Peter in Carennac*） 1967年

　　通过用线描表现彼得，霍克尼试图让年轻人的身体吸引力、智力和个性得到充分发挥，艺术家感到自己和他之间有一种强烈的情感纽带。霍克尼自我强加的压力产生了直接的结果，他对这种复杂媒介的信心，很快导致了一种迷人而虚伪的天真。仅仅通过轮廓线而非阴影排线或涂色，来捕捉身体的重量及其在空间中的位置，还包括准确的解剖结构和面部表情，这真的是一种令人惊讶的困难。但霍克尼同时也创作了很多大胆的构图，暗示了光影效果和各种各样的情感氛围。虽然艺术家继续创作这种钢笔画素描，但在1980年左右最后一次达到巅峰之后就慢慢放弃了。在掌握了这种形式之后，霍克尼似乎对其失去了兴趣，转向了其他媒介和技法。

《彼得，罗马弗洛拉酒店》(*Peter, Albergo la Flora, Rome*)　1967年

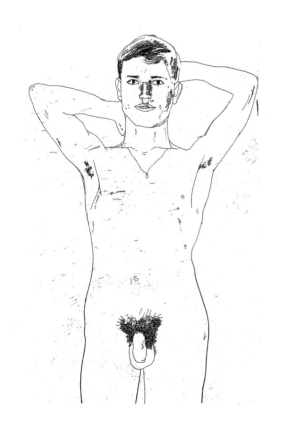

《在一本旧书中》(*In an Old Book*)　1966—1967年

　　彼得在霍克尼钢笔画素描中的优雅，几乎立刻转化到艺术家的版画当中，特别是一组带有强烈欲望意味的蚀刻画。1966至1967年，霍克尼为来自亚历山大港的20世纪早期希腊诗人C. P. 卡瓦菲斯的新译诗集，创作了一组13张的蚀刻画。连同彼得的素描一道，这些作品在艺术家更为自然主义的人像概念发展过程中，成为一个重要的路标。卡瓦菲斯的蚀刻画都基于艺术家自己的素描，一些源自写生，另一些源自他拍摄的照片，或是在杂志上获得的照片。《在一本旧书中》这个标题源自印在诗集封面的诗歌，这也是一幅取自照片素材的作品。作品的起源未知，但细致地刻画了英俊的年轻人，这一点与卡瓦菲斯的诗句完全符合，卡瓦菲斯的诗句提及，在一本百年旧书的书页当中，发现了一张没有签名的水彩肖像。霍克尼让他创作的蚀刻画看上去并不像诗歌的插图，更像是诗歌的视觉等价物，但此处所对应的诗句则更为亲密，甚至包括"完美的双唇为爱的身体带来欢愉"。这是一种虚幻的肖像，一种不为人知的生活，通过艺术家对人相学的体验并依靠他自己的力量，才使这种生活变得充满生气。

《彼得》(*Peter*)　1968年

霍克尼的线描毫无疑问是其留给艺术史的一份伟大遗产。1966年，他以一种特有的艺术激情投入到媒介探索当中，特别是在工作室中针对彼得的这些研究，就好像急着要将他的写生素描能力，提升到他对物体加以情感体验的同一水平上。霍克尼从未试图掩饰自己对同伴的强烈吸引，在1969年的蚀刻画中，他使用了一种强烈的透视缩短技法，让年轻人的躯体显得不自然地拉长，特别是在腿部和脚部。

《彼得》(*Peter*)　1969年

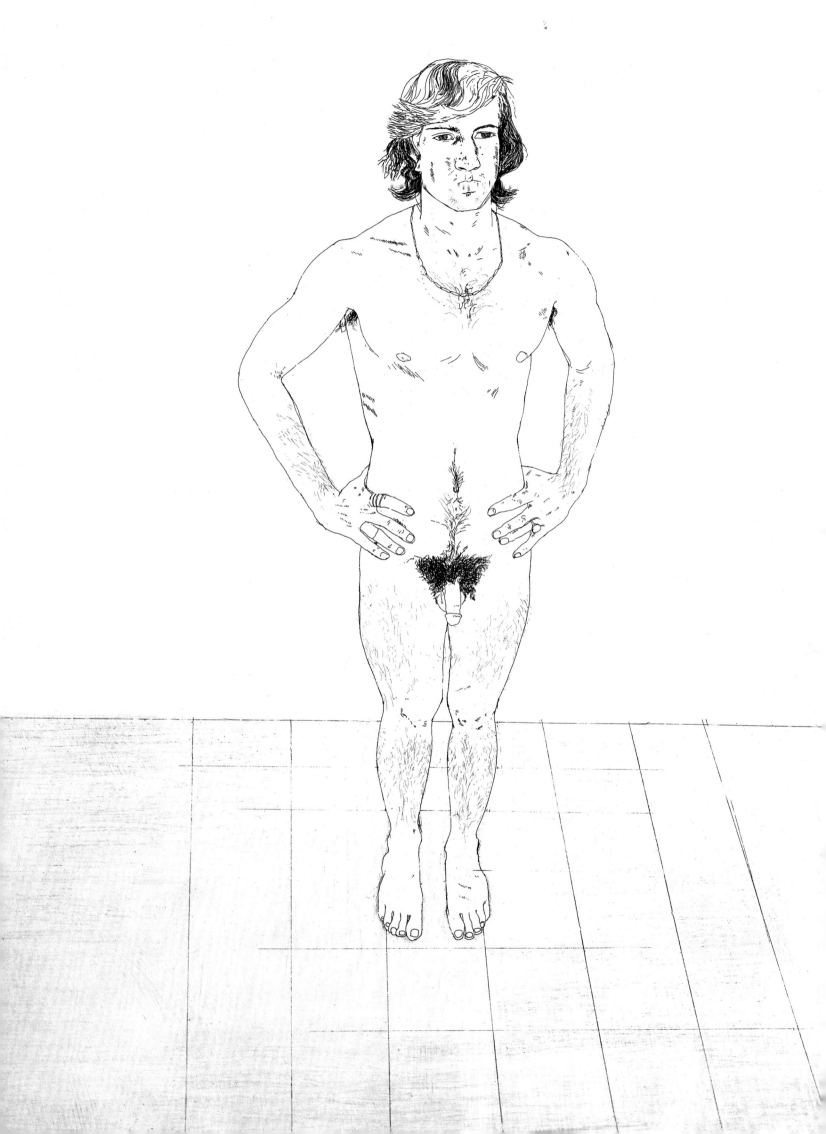

Peter. Hotel Regina Venice.
Sept. 1970.

《彼得，威尼斯雷吉纳酒店》（*Peter, Hotel Regina, Venice*） 1970年　　　　　　　　　　　　　　　《戴围巾的彼得》（*Peter with Scarf*） 1970年

根据推测，这幅作品就像自画像一样描绘了两个无法看见容貌的朋友。霍克尼已经成为欧洲旅游胜地的常客，并对法国小镇维希尤为喜爱，1969年的夏天，他与奥西·克拉克和彼得·施莱辛格一道去那里。在那里，艺术家为他的旅伴画素描并拍摄照片，两人背对观众坐着，他们在欣赏过于夸张的错误透视——两排修剪过的树木相交于远处某一点。第三张空椅子表明艺术家的位置。当别人在休息的时候，霍克尼像往常一样，已经起床开始创作。他并未将这幅作品呈现为某种客观真实的样子，而是公开确认他在创作中的角色，以及他在构思场景时的主观位置。

《公园的源头，维希》（*Le Parc des Sources, Vichy*） 1970年

《莫》（*Mo*） 1967年

　　虽然彼得的肖像在霍克尼的艺术中占据着特殊位置，但其他朋友也经常为艺术家做模特，有时候时断时续地超过好多年。莫·麦克德莫特就是如此，他曾在索尔福德艺术学院（Salford College of Art）学习布料设计，霍克尼在皇家艺术学院学习的时候就和他成为朋友，当时艺术家付钱请莫做模特。很快莫就成为霍克尼的助手。莫早已出现在诸如《为我写生》（1962年）和《家庭场景，诺丁山》（1963年）的早期作品里，那么在后来的十年中，当他成为霍克尼小圈子的一员时，被定期加以描绘也就是很自然的事情了。霍克尼通过莫认识了西莉亚·伯特威尔，她也在索尔福德艺术学院学过布料设计，并且她不仅仅是奥西的妻子，同时也是霍克尼最值得信赖的朋友之一。和霍克尼朋友圈中的其他人一样，在很多亲密情境中都能看到莫，他的裸露常常很随意，当他和艺术家的关系上升到另一种水平之后，莫依旧对自己成为艺术家模特这一角色感到满足。

《熟睡的莫》（*Mo Asleep*） 1971年

David Hockney 71

《卡斯敏兄弟》(*Kasmin Twice*)　1968年

当霍克尼在1968年10月第一次遇见英国诗人W. H. 奥登时,他就为其创作了三张钢笔墨水素描。彼得·施莱辛格陪同霍克尼去拜访奥登,同行的还包括美国艺术家R. B. 基塔伊,他是霍克尼在皇家艺术学院的同学,两人相识于1959年。三个人都利用这次难得的机会描绘了英国诗歌界的元老。霍克尼并未尝试掩饰奥登易怒的性格,将他描绘成一个脾气十分暴躁的老人,也正是这种深深地被侵蚀的线条,赋予诗人面容以一种令人难忘的憔悴特征。如果他的脸是皱巴巴的,而霍克尼又以他那通常不太合理的才智对此加以怀疑,那他的头会成什么样子?

《W. H. 奥登 I》(*W. H. Auden I*) 1968年

1968年，霍克尼开始创作一系列大尺幅（或许可以说是房间等大）双人像，很快就取代了他那最具鲜明特征的著名作品。《美国收藏家们（弗雷德·韦斯曼和马西娅·韦斯曼）》作为一幅土生土长的洛杉矶富人的肖像画，让人想起两年前创作的贝蒂·弗里曼的肖像画《比弗利山庄的女主人》。即便如此，直到现在，夫妻之间的关系依然受到艺术家的密切关注。韦斯曼夫妇呆板地站着，彼此之间互成直角，两人各自严谨的侧面和正面视角，与点缀在花园当中威廉·特恩布尔的图腾柱以及亨利·摩尔的现代雕塑，显得一样的生硬。他俩和霍克尼随后创作的一些其他夫妇的肖像一样，看似存在于一种彼此隔离的区域，冷漠、独立且沉默寡言。弗雷德看上去特别紧张；在这种压力之下，他似乎紧握着右拳，颜料正从中往外渗出。这并不是一幅带有奉承意味的夫妻肖像，也不是与婚姻有关的个体的肖像，但是由于霍克尼只是想将其当作一种主题而非接受委托去描绘他们，所以他能够自由地画自己想画的东西。结果，他们的确购买了这幅作品，虽然不久以后就离婚了。

《美国收藏家们（弗雷德·韦斯曼和马西娅·韦斯曼）》（*American Collectors*［*Fred and Marcia Weisman*］） 1968年

《克里斯托弗·伊舍伍德和唐·巴卡迪》（*Christopher Isherwood and Don Bachardy*） 1968年

　　《克里斯托弗·伊舍伍德和唐·巴卡迪》也创作于1968年，霍克尼对画室模特写生素描和摄影研究辅助手段加以同等关注。在这种情况下，正如三年后为奥西·克拉克和西莉亚·伯特威尔创作的肖像画（第126—127页）一样，画中人物被描绘成真人等大的形象。伊舍伍德是英国作家，当他还年轻的时候就于20世纪30年代移居洛杉矶，除了出身和性向之外，他和霍克尼还有许多共同之处：都具有相似的幽默感，温和的性格和对其他人深深的好奇心。1964年，他和霍克尼第一次相见后就立即成为知己。伊舍伍德和他的伴侣唐·巴卡迪———一位和霍克尼年纪相仿的画家，从1953年开始就生活在一起。霍克尼对两人彼此关系的紧张和持久都非常着迷，煞费苦心地将他们描绘成彼此相敬如宾的样子。在位于圣莫尼卡（Santa Monica）住所的客厅中，唐以一种放松的姿势坐着，平静地看着艺术家和观众，而伊舍伍德则以其带有保护性的———也许稍带一点占有欲的———直视目光，凝视着他的伴侣。

《克里斯托弗·伊舍伍德和唐·巴卡迪》(*Christopher Isherwood and Don Bachardy*) 1976年

霍克尼在八年后再次以平版画的形式描绘了他的朋友，他们坐在同一屋子的同样的椅子上——看得出艺术家是一个频繁的拜访者，这一次，他表现了巴卡迪看着伊舍伍德的样子。因为版画印制过程的反转性，巴卡迪现在坐在右边，实际上和早期油画中两人的位置一样。正如霍克尼敏锐察觉到的那样，经过这么多年以后，两个年轻人开始变老，他们的身份、个性也逐渐融合在一起。

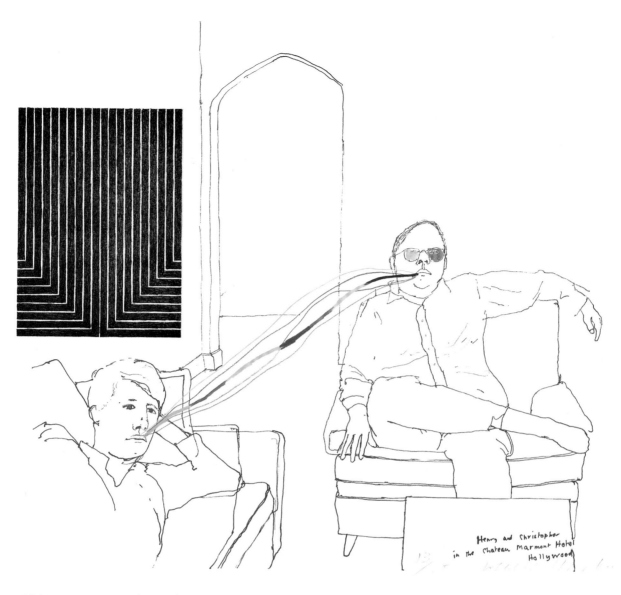

《亨利和克里斯托弗》（*Henry and Christopher*）　1967年

　　亨利·格尔德扎勒——一位备受尊敬的美国策展人，曾一度担任过纽约市文化委员——是霍克尼最亲密的朋友之一，他们的友谊从1963年第一次相见一直持续到1994年亨利因癌症去世。他们经常一起旅行，这为艺术家提供了一个充裕的机会，将其作为一个可靠而经验丰富的模特，反过来，亨利从未掩饰他从素描或绘画中获得的愉悦。他们彼此相处融洽，愉快地揭穿彼此的虚荣心，组成一个完美的团队。1969年，霍克尼将亨利及其伴侣克里斯托弗·斯科特作为另一幅重要的双人肖像画的主题（第100—101页），表现了他的朋友坐在纽约公寓中间的大沙发上，就好像一个非常肥大的升座圣母；他的同伴则以一种报喜天使的姿态出现，向远处发出戏谑的指引线。整个画面并未弥漫着一种心情愉悦的气息，而是像往常一样，带着些许忧郁的气氛。

　　这幅亨利·格尔德扎勒和克里斯托弗·斯科特的平版画，比那幅更威风的肖像（第100—101页）要早两年，被印制成只有15印张的小开本，每一张都是霍克尼亲自上色并拼接定制。在这个例子中，五彩线条意味着两者之间的对话，即便他们的嘴紧闭着。墙上悬挂着一幅弗兰克·斯特拉（Frank Stella）的早期作品——这是格尔德扎勒支持并收藏的一位抽象艺术家。

Henry

GH 1968.

《亨利》（*Henry*） 1968年

《亨利·格尔德扎勒和克里斯托弗·斯科特》（*Henry Geldzahler and Christopher Scott*） 1969年

霍克尼双人像中房间的形式结构与细节常常指引着观众：这里的黑色墙壁强调了寂静与沉默。两人对彼此的承诺似乎要打上一个问号：亨利在一定程度上已经固定在这个位置，他让自己显得非常轻松，而克里斯托弗则穿着已经扣好的雨衣站着，好像刚刚到达或是即将离开。

《亨利，法国，1969年》(*Henry, France, 1969*)

《亨利，纽约第七大道835号，1970年10月》(*Henry 835 Seventh Avenue New York, Oct. 1970*)

《亨利和彼得，巴黎花神咖啡馆》(*Henry & Peter Café de Flore Paris*) 1972年

《亨利，第七大道》（*Henry, Seventh Avenue*） 1972年

《亨利在意大利》(*Henry in Italy*) 1973年

《躺在帆布躺椅上的亨利》(*Henry in Deckchair*) 1973年

作为一位带有迷人的虚荣心且抑制不住的好友，亨利·格尔德扎勒证明是霍克尼过去30年间最渴望描绘的模特，他随时准备好静静地坐上一两个小时，就为了能够名垂千古。亨利知道做模特——知道如何抓住一种有趣而自然的姿势，保持静止但不会看上去带着痛苦或呆板——本身就是一种艺术。在意大利度假时，他将腿搭在现代钢管椅的扶手上，并未显露出任何烦躁不安的迹象，就好像他右脚脚趾优雅地悬吊着的拖鞋那样。霍克尼让每一个痕迹都起作用，用细长简练的线条变幻出身体的重量，用更短的笔触刻画模特胡须的细节。

《烛光中的亨利》(*Henry in Candlelight*) 1975年

《正在阅读的亨利,巴黎》(*Henry Reading, Paris*) 1975年

这幅作品带有惠斯勒式的风格,纤细的笔触,柔和
的光线,这是在私密的室内对亨利充满敏感的观察研
究。这幅作品创作于1973年至1975年霍克尼在巴黎暂
时居住之时,在1975年4月艺术家的一次素描与版画展
上第一次展出。霍克尼租用的工作室就在荣军院(Cour
de Rohan)旁边,巴尔蒂斯曾一度住过这里,霍克尼对
他的室内作品和肖像作品非常钦佩。

《坐在郁金香旁的亨利》(*Henry Seated with Tulips*)   1976年

《观看屏风上的图片》是霍克尼20世纪70年代中期最好的作品之一,当时他正遭受某种创造力阻碍,并试图将自己的艺术从自然主义的限制中释放出来。在这幅作品中,亨利·格尔德扎勒被表现为一种非常时髦的形象。他打扮潇洒,装着若其事地站着。这是一种对霍克尼最喜爱作品的复制研究,包括伦敦国家美术馆中弗美尔、皮耶罗·德拉·弗兰切斯卡、凡·高和德加的画作。因此,亨利不仅仅被认定为一个艺术爱好者,同时也临时代替我们每个人做了一回观众,制定了我们每个人都参与其中的观看艺术的过程。

《坐在桌旁的亨利》(*Henry at Table*)   1976年

《观看屏风上的图片》（*Looking at Pictures on a Screen*） 1977年

《斯蒂芬·斯彭德》（*Stephen Spender*） 1969年

《莫里斯·佩恩》（*Maurice Payne*） 1971年

长久以来，霍克尼一直是他那一代少有的艺术家，他的名声能让他结交很多其他领域的名流与成功人士，包括演员、音乐家、舞蹈家以及科学家、哲学家和作家。霍克尼和波普艺术家安迪·沃霍尔保持着一种相互尊重的友谊，并只在1974年画过安迪一次，但和沃霍尔不同的是，霍克尼从未利用过他已经获得的为富人和名人画像的机会。只有当友谊非常深厚时，就好像和好莱坞电影导演比利·维尔德的友谊那样，霍克尼才会选择为某个众人瞩目的人画像。总的来说，他更喜欢描绘家庭成员和知己好友，若不是霍克尼画过他们，一般的观众可能都不知道这些人。当然，这个规则也存在例外，他曾描绘过很多艺术家朋友偶然而亲密的精彩肖像画，包括R. B. 基塔伊、理查德·汉密尔顿、彼得·布莱克、霍华德·霍奇金和卢西恩·弗洛伊德。

《比利·维尔德》（*Billy Wilder*） 1976年

Andy

DH. Paris

这三张艺术家朋友的肖像都是在四处奔波的途中完成的。波普艺术家理查德·汉密尔顿的蚀刻画创作于后者位于卡达克斯（Cadaqués）的度假别墅，当时霍克尼正和彼得一起旅行，两人关系处于最后的动荡阶段；版画家莫里斯·佩恩（第108页）和他们以及莫·麦克德莫特一起旅行，霍克尼和莫里斯一起为《格林童话》创作了39幅蚀刻画插图，在霍克尼的请求下，后者为他带来了一些雕版。汉密尔顿手里夹着烟，一副若无其事且久经世故的样子。霍克尼唯一一张沃霍尔的写生肖像，作为一系列自然主义肖像画的一部分，创作于20世纪70年代中期的巴黎工作室，这是一幅巨大且异常精细的彩色粉笔素描；同一年，沃霍尔为霍克尼创作的丝网印刷肖像，则是以波普教皇拍摄的宝丽来照片为基础。来自皇家艺术学院的同学、美国艺术家R. B. 基塔伊的钢笔素描，描绘于维也纳视觉艺术学院外，基塔伊在20世纪50年代早期曾在那里学习。

《理查德·汉密尔顿肖像》（*Portrait of Richard Hamilton*） 1971年

《美术学院外的罗恩·基塔伊》（*Ron Kitaj Outside the Academy of Fine Arts, Vienna*） 1975年

《安迪，巴黎，1974年》（*Andy, Paris 1974*）

这是霍克尼同意接受的第一幅委托肖像,艺
术家总是喜欢描绘或刻画他熟悉的那些人,或是
根据自己的意图选择某些人来描绘。30年后,霍
克尼才又接受了国家肖像美术馆的邀请,去完成
另一张委托肖像,这一次描绘的是乔治·克里斯蒂
爵士与夫人。歌剧再次成为纽带:克里斯蒂夫妇多
年来一直是格莱德堡歌剧艺术节的幕后推动者,
20世纪70年代,霍克尼曾为其创作了很多非常值
得称赞的舞台设计。

出于同样的原因,霍克尼回避创作名人朋友的肖像,因此他躲开了无数的提议,
委托他描绘自己根本不知道的人。这种自创规则的首个且几乎唯一一个例外就是
1971年画的戴维·韦伯斯特爵士肖像。戴维爵士即将作为柯芬园皇家歌剧院的总负
责人退休;作为歌剧的忠实粉丝,艺术家多少带有些惶恐地接下了这个任务。即便如
此,霍克尼需要强迫自己处理这个主题,才能依据自己的判断决定借助哪些道具来描
绘戴维爵士,这些道具必须和他自己的作品以及画室环境相互联系:一瓶郁金香放
在创作于1971至1972年的《玻璃桌上的静物》(第119页)中出现过的同一张玻璃桌
上,一张时髦的马塞尔·布罗伊尔(Marcel Breuer)椅子,模特坐在上面就好像飘在
半空中。其他空间都是空的,没有线索显示创作的地点,而戴维爵士的穿着非常中性
优雅,观众无法猜测这个人与音乐或激情之间的联系。委托者认为这张肖像画非常成
功,但艺术家当时发誓绝不接受其他诸如此类的邀请。

霍克尼最动人的肖像通常是那些和他具有紧密情感联系的人,这一点并不奇怪。
其中就包括在和彼得共度五年的最后数月中,他为彼得创作的绘画作品。霍克尼承认
这些作品中的友谊变了色,即便艺术家未必是有意识地试图阐明这种处境,但情感的
距离正在将他们彼此分开。对于一个极端敏感的人来说,捡起那些尚未公开表达的
信息并直观地将其包含在自己的作品当中,这也许更像是一个问题。所以即便是那些
描绘彼得身处暗含欢乐场景的作品,例如《一位艺术家的肖像(泳池和两个人)》(第
114—115页),也弥漫着一种苦中求乐的气氛。事实上,1971年9月,霍克尼就已经开
始创作这张作品的第一个版本了,当时彼得刚刚离开他不久,所以在这种情况下,作品
的主题必定有如告别一样触动了他。两幅在不同场合分别拍摄的早期照片的偶然并
置——一张是潜水的小男孩,另一张则是向下看的年轻人——为霍克尼的这张作品
提供了创意。当然,这不仅仅只是一种绘画的巧妙构思:通过表现另一个年轻人游向

《戴维·韦伯斯特爵士肖像》（*Portrait of Sir David Webster*） 1971年

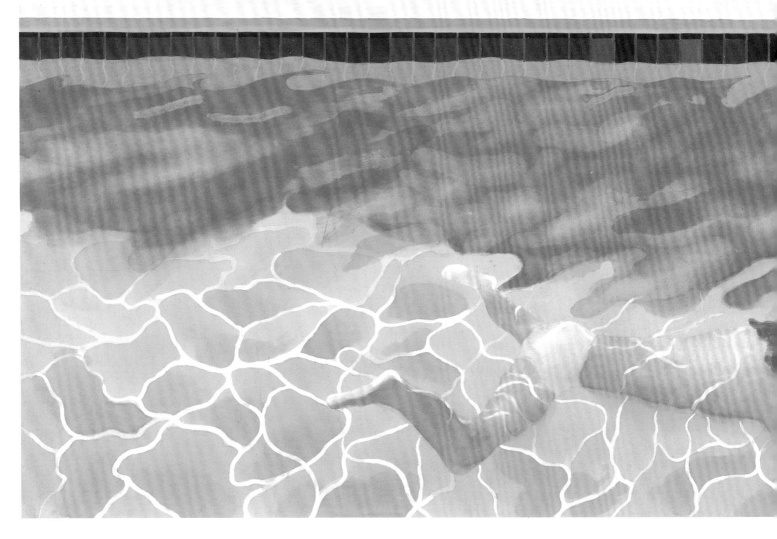

《彼得·施莱辛格，伦敦，1972年》（Peter Schlesinger, London 1972）

《一位艺术家的肖像（泳池和两个人）》（Portrait of an Artist ［Pool with Two Figures］） 1972年

彼得，艺术家承认永失挚爱，而他的朋友想要寻找一个新的伙伴。当霍克尼意识到自己犯了透视错误的时候，他抛弃了第一种尝试，并且在下一个春天拍摄了一系列游泳者的新照片，并连同彼得自己的照片一起，作为新（也是最终）版本的辅助。彼得当时已经和其他人一起生活，当艺术家发现每一次和彼得有任何联系都会非常痛苦的时候，霍克尼忍不住将这种新接触的感受诉诸艺术当中。

假日，是愉悦与放松的源泉，也证明是不和谐的危险滋生地。《阳台上》创作于1971年，那一年的3月，在马拉喀什（Marrakesh）的玛姆尼亚酒店（Hôtel de la Mamounia）的逗留激发了创作这张作品的灵感。当彼得走到阳台远眺茂盛的植物时，霍克尼立刻意识到这是创作一幅大画的机会，艺术家构思了一个真人等大的门道，从昏暗忧郁的室内通向明亮灿烂的开放空间。他为彼得拍了一张彩色照片，彼得正处在一张空桌子和栏杆之间的位置上。他也为同一场景创作了一张观察仔细的彩色粉笔素描。当艺术家在那个夏天回到英格兰之后，两张图片都成为其后绘画创作的参考。从黑暗到光明，从幽闭的围栏到活动的自由，那时的艺术家本人也许并未将其理解为身处人生重要转折点的一种情感状态的表达，但有意无意地假设了那种状态。

和彼得分手之后，霍克尼躲进他的艺术中，并且在1971年9月开始创作数幅重要的作品，这些作品可被隐喻般地解读为被抛弃或孤独的形象。其中最忧郁的要算《玻璃桌上的静物》（1971年）（第119页），这幅作品理论上描绘的是很直白的静物，但是所表现的大多数物体都与彼得有关联，因而也就成为其缺位的隐喻；桌子下面奇怪的身体形状投影更加突显了室内的空旷。在另一幅作品《遮阳伞》（Beach Umbrella）（无插图）中，单独的太阳伞投下长长的暗影，是通过强烈的原色与间色加以描绘，但画面所表现的阳光普照和假日场景，要比愉快的心情更令人怀念。同时，《漂浮在泳池中的救生圈》（Rubber Ring Floating in a Swimming Pool）将观众放置在泳池边缘，直接从正上方向泳池看去。画面具有一种怪异的寂静，这种令人头昏眼花的下落感，暗示了被爱人抛弃而纵身一跃的地点，完美的红色圆圈代表浮动的救生圈，它就像一个大大的数字"0"在闪闪发光，又好像是一种某人应当身处其中的孤寂虚空。

1971年，当霍克尼开始创作《阳台上》的时候，他和彼得的关系还很好，阳光照在田园诗般的风景中，但这个景色是从临时居住的酒店房间的门口向外看的；艺术家潜意识地或故意地，将自己表现为正在退缩、不在场或是向他告别的样子。画面中的彼得毅然转身背对着霍克尼，这具有一种强烈的象征意义。

《阳台上》（Sur la Terrasse） 1971年

《斜倚着的彼得》(*Peter, Reclining*)　1972年

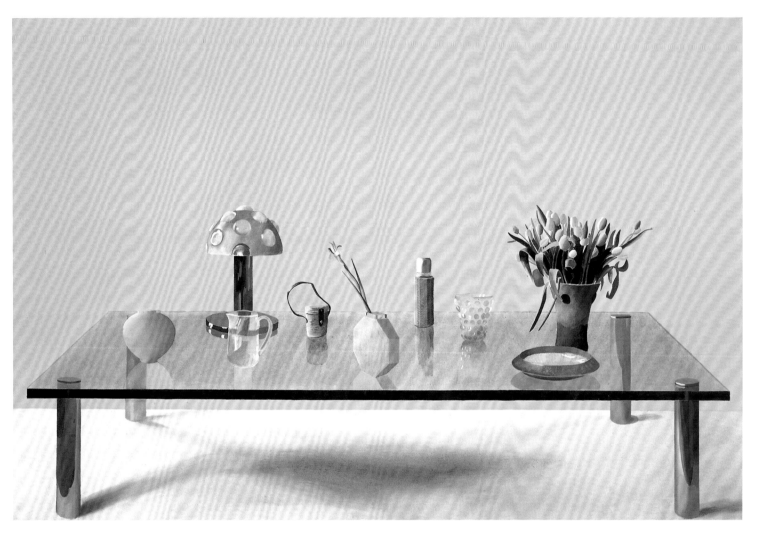

《玻璃桌上的静物》（*Still Life on a Glass Table*） 1971年

在1976年出版的自传中，霍克尼承认在创作这幅作品的时候，潜意识的动机已经改变了他公开宣布的目标："《玻璃桌上的静物》是一幅表现玻璃物品的习作……但朋友们对其过分解读了。有人认为，除了郁金香和两个来自维希的毫无价值的水杯之外，桌上的其他物品都不是我喜爱的东西，而是彼得喜爱的东西。物品的选择反映了我的情感状态……相比静物的平静，桌子下面因灯光投下的阴影，却反映了我的真实感受。"

《彼得·施莱辛格》（*Peter Schlesinger*） 1976年

《宝丽来相机拍摄的彼得·施莱辛格》（*Peter Schlesinger with Polaroid Camera*） 1977年

　　标题中提及的宝丽来相机在画面中几乎看不见,设计非常时髦。由于长时间依赖照片作为参考素材进行创作,霍克尼似乎在此决定摒弃相机,以便直接写生,以此来获得模特强烈的实际存在感。在两人分离六年后,他们再次彼此面对。彼得穿着整洁漂亮的三件套西服,小心翼翼地看着霍克尼,既表现了他外表上的超然,又表现了因事业有成而获得的独立自主。房间内所有令人分心的细节都被清除,艺术家将他的挚爱放置在屏风前面,以此重申他对年轻人持久的感情。

这两幅非常性感的素描，创作于霍克尼的巴黎工作室，两幅画间间隔一年，表现了西莉亚那种带有天真热情的魅力。她穿着黑色长筒袜和长衬裙，挑逗般地瘫坐着，看上去就好像塞壬或妖妇。在更早的那张素描（右图）中，虽然西莉亚穿着紧身的黑色夹克并刻意打扮过，但下垂的花朵与其轮廓的融合，赋予她一种柔美的、劳拉·艾什莉（Laura Ashley）式的女性气质。画面中的西莉亚是那么的亲切、娴静，散发出一种积极的少女气息。

《穿着黑色长衬裙斜倚着的西莉亚，巴黎，12月》（*Celia in a Black Slip Reclining. Paris. Dec.*） 1973年

1973年春，霍克尼在巴黎的圣日耳曼德佩（Saint-Germain-des-Près）租下了一间工作室，两年间，艺术家多次往返伦敦和巴黎，但从未在那正式居住过。霍克尼在和彼得分手后依旧孤独，并经历了绘画的困难期，他在那里耗费了大量精力去创作刻画精细的巨幅肖像，描绘对象包括来访的朋友和亲人。艺术家将自己的绘画技巧强化到接近学院派的精细程度，试图在素描写生中提高自己已经相当娴熟的技巧。很多模特都坐在同样的椅子上，并对细节的精确度与装饰的感染力感到高兴，尽管如此，霍克尼仍然完全致力于传达模特的个性和他与模特之间的关系。

在所有霍克尼描绘的女性当中，布料设计师西莉亚·伯特威尔是艺术家永恒不变的缪斯。1965年左右西莉亚遇见霍克尼，但是在1968年，随着她与彼得友谊的增进，她也与霍克尼本人越来越亲近，当时霍克尼正从加利福尼亚返回伦敦。1969年，西莉亚嫁给了著名的时装设计师奥西·克拉克，霍克尼在1961年就和他相识；两人那非传统式的婚姻，在接下去的十年中走到了尽头，这为霍克尼的一幅众所周知且大受欢迎的绘画作品提供了主题，那就是1970至1971年创作的《克拉克和珀西夫妇》（第126—127页）。正如霍克尼对彼得的爱，推动艺术家提高自己以钢笔墨水创作线描草图的自然主义技巧，他对西莉亚的情感也作为一种鼓励，推动他以一种复杂微妙的感觉来创作大画幅的彩色粉笔素描。

《穿着黑色女装的西莉亚与白花》（*Celia in a Black Dress with White Flowers*） 1972年

CH. Paris December 1972

《西莉亚，巴黎》（*Celia, Paris*） 1969年

在那些单独描绘西莉亚·伯特威尔容貌的素描与版画中，正是她的女性气质，她的优雅与美丽，引起了霍克尼的极大关注。对比1970至1971年创作的双人像《克拉克和珀西夫妇》，画面中她那豪放的站姿和她丈夫懒洋洋的消极坐姿之间的对比，意味着一种传统角色的颠覆，观众会因此深受感动而难以忘怀。

《西莉亚，卡雷纳克，1971年8月》（*Celia, Carennac, August 1971*）

Celia
Carennac August
1977

《穿着费尔岛毛衣的奥西》（*Ossie, Wearing a Fairisle Sweater*） 1970年

霍克尼为创作这幅油画，准备了大量的黑白照片与素描，因为艺术家知道他不能在夫妇俩的起居室里描绘这么大画幅的作品。这幅作品画了好几个月才完成。虽然人物描绘几乎都是现场写生，但现实考量已经决定了夫妻俩通常都是单独为艺术家做模特，敞亮的阳台创造出的分离感，进一步强调了这种关系。

《克拉克和珀西夫妇》（*Mr and Mrs Clark and Percy*） 1970—1971年

《穿着格子套袖的西莉亚》（*Celia Wearing Checked Sleeves*） 1973年

《穿黑色连衣裙和红色袜子的西莉亚》（*Celia in a Black Dress with Red Stockings*） 1973年

在1973年访问洛杉矶创作一系列平版画的时候，霍克尼抓住机会为他的旅伴西莉亚创作了三幅平版画。其中一幅（右下图）预示了其后平版画肖像那略带生硬的学院派风格。其他两幅西莉亚的图像，在霍克尼最伟大的肖像画当中，显示出一种柔和的自然与精妙。《抽烟的西莉亚》让人回想起18世纪末的新古典主义绘画，而《西莉亚》中被衣服遮住的身体体积所体现的那种诱人的流动感，和她面部特征的表现以及头发螺旋状的卷曲，显得一样的微妙。

《抽烟的西莉亚》（*Celia Smoking*） 1973年

《西莉亚，梅尔罗斯大道8365号，好莱坞》（*Celia 8365 Melrose Avenue, Hollywood*） 1973年

《西莉亚》（*Celia*） 1973年

《裸体的西莉亚》（*Celia Nude*） 1975年

《格雷戈里》（*Gregory*） 1974年

《在帕拉汀遗址思考的格雷戈里》（*Gregory Thinking in the Palatine Ruins*） 1974年

《倚着墙的裸体格雷戈里》（*Gregory Leaning Nude*） 1975年

正如十年前创作的一些彼得的肖像画那样，这张彩色铅笔素描（左图）强调了男性裸体的脆弱性：格雷戈里看上去非常温和、屈从与秀气，这些特征习惯上都是用来描绘女性的。

1974年，通过洛杉矶艺术商尼克·怀尔德的介绍，20岁的格雷戈里·埃文斯认识了霍克尼，随后成为艺术家的伴侣，以及最信任、持续时间最长的助手之一。霍克尼几乎立刻为他创作肖像，从而引发了另一个持久的绘画系列，即便30年后依旧精力充沛地持续着。当艺术家完成第一批关于彩色蚀刻画论文的一年后，他将格雷戈里作为其最成功的版画肖像画的主题。年轻人看上去似乎非常的镇定与沉默寡言，在一个早已享誉全球的艺术家的陪伴下显得那么的无拘无束。《穿运动棉袜的格雷戈里》（第135页）是两年后创作的三张平版画中的一幅，开辟了一种清新绝妙的视角，自由的线条预示了霍克尼20世纪80年代的马蒂斯风格作品。他们彼此之间自由自在的状态，以某种方式激发了一种同样放松的艺术风格，对于霍克尼的学院派倾向所具有的那种时而生硬的准确性与过度刻画来讲，这种风格起到了很好的调和作用。

A.P. $\frac{1}{xx}$

《格雷戈里的小头像》(*Small Head of Gregory*) 1976年

1976年，霍克尼返回洛杉矶去创作一系列朋友的平
版画肖像。其中一些作品处理得非常细致，拓展了此前
巴黎素描的技巧并印制成大幅版画：格雷戈里为其中一
幅版画以及用类似风格创作的小幅头像做模特，同时也
为三幅更简略、更为私密的平版画做模特。

《穿运动棉袜的格雷戈里》(*Gregory with Gym Socks*) 1976年

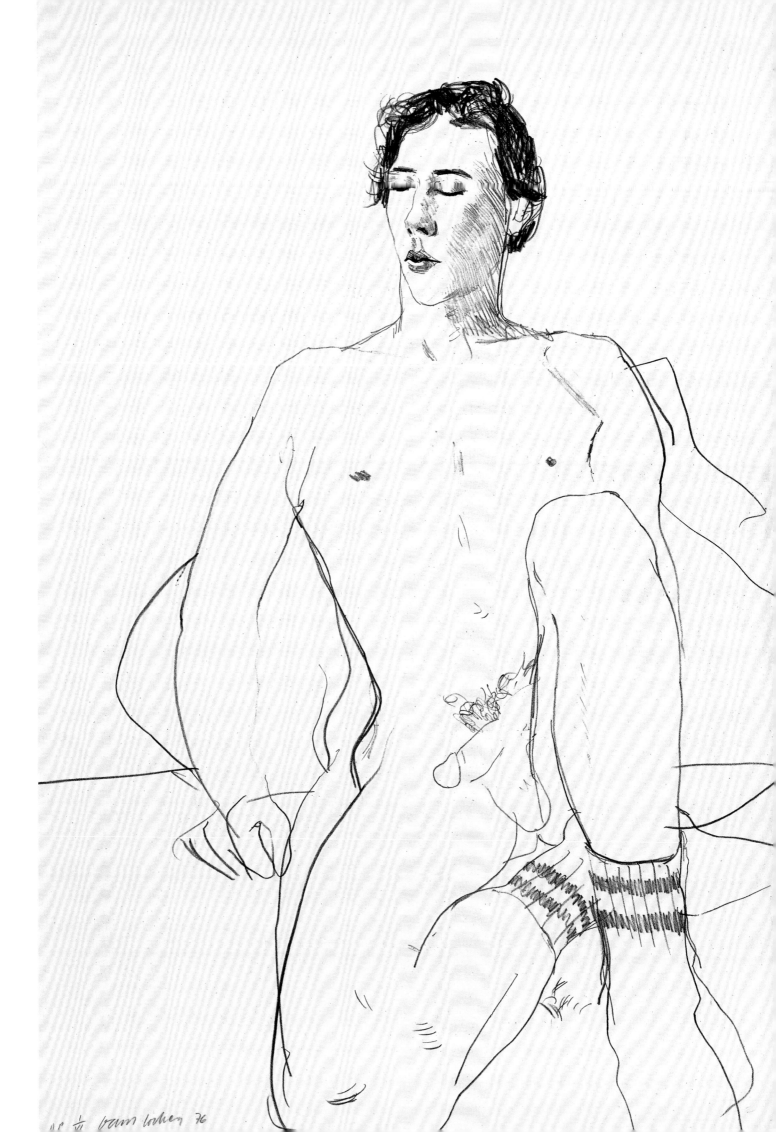

《模特与未完成的自画像》(*Model with Unfinished Self-Portrait*) 1977年

4 爱人与朋友 II：1977—1998

凯·海默尔

霍克尼急切地想要逃离自然主义限制的愿望，让他在20世纪70年代中期回到了空间游戏和画中画上来，这两种形式都是艺术家20世纪60年代早期作品的特色。1977年在艺术家的伦敦工作室中，他同时创作了两幅巨大的画作，其中一幅《有蓝色吉他的自画像》，以一种不完整的状态出现在第二幅作品《模特与未完成的自画像》的背景中。通过这种在绘画中包含另一幅未完成画作的方式，艺术家重新阐释了"艺术家与模特"这一传统主题，并借助对其模特同样公正的细致观察，从而在创作中研究了自己。由于情况超出了他的控制范围，霍克尼一开始以其现在的朋友格雷戈里·埃文斯做模特，表现他熟睡的姿势，但随后当格雷戈里外出旅行时，彼得·施莱辛格过来看他，随即取代了画面中格雷戈里的位置。霍克尼在创作作品的时候，决不会丢弃这一状况所导致的心理暗示，在某种意义上，这反映了在创作过程中，各种各样的人都可以取代对某个人的倾慕之情。一个身穿蓝色长袍的人，就像天使般的在另一个时空熟睡，这真正体现了爱人的往昔与当下。

20世纪70年代，霍克尼越来越关注自然主义的局限性。他从20世纪60年代中期就一直运用的一点透视，创造出一个没有时间和运动的空间，凝固了主题并夺走了他们的"生命"。反抗这些局限性的小小痕迹，出现于1972年的作品当中，例如《一位艺术家的肖像（泳池和两个人）》（第114—115页），这幅作品中的潜泳人物，被泳池水面的波浪搞得模糊不清。1980年霍克尼告诉马尔科·利文斯通："关键在于，你所看见的泳池水面的波纹是运动着的，它们从不静止。如果水流更为猛烈并不断持续下去，那么唯一能捕捉零点几秒的摄影，在某种程度上就非常的不现实了，但你可以把它画得更接近于你所见之体验。"彼得·施莱辛格站在泳池边的形象，由五张照片同时拼接而成，这种技术要比拍摄一张全身人像照片所获得的细节更多。这张作品所引发的摄影和绘画之间的竞争，将会成为从20世纪70年代末期开始的霍克尼作品的一个重要特征，虽然艺术家继续创作了五年的自然主义绘画，但他也开始探寻改变的方式，来创造那些同样生动的图像。在1973至1974年，艺术家创作的两幅向毕加索致敬的自画像（第30—31页），正是这种转变最好的例子，在这些作品中我们可以发现，霍克尼采用了一套新的透视系统。在用丙烯创作了将近十年之后，他再一次开始用油画颜料进行创作；绘画性的姿态开始重现，而画面空间也不再是一种凝固的幻觉。

即便如此，霍克尼远离自然主义也是一个漫长而交错的过程。所以，那些1976年和1977年的作品，例如蚀刻组画《蓝色吉他》，就显示了一个真正的碎片化空间，同一时期创作的作品例如《我的父母》（第44页）和《观看屏风上的图片》（第107页），则维持了一种连续空间的幻觉。在创作于1977年的两幅绘画作品中就存在这种改变——《有蓝色吉他的自画像》（第32页）及稍早些的对应作品《模特与未完成的自画像》，这种改变有些突兀，但又很重要。后一幅作品包含了画中画，并静静地面对着多个层次的现实。乍看起来，霍克尼的模特（这里指的格雷戈里·埃文斯，虽然彼得·施莱辛格也曾为作品局部做过模特）与背景中坐在桌旁的艺术家似乎处于同一空间，但是仔细观察就会发现，很明显，艺术家实际上是沙发背后作品中的一个形象，格雷戈里正躺在沙发上熟睡。蓝色窗帘令人困惑，似乎同时存在于两个彼此分开的平面之上。在某种意义上，格雷戈里要比艺术家更靠近观众，因为他的形象源自写生，

《抽烟的亨利》（*Henry with Cigar*） 1976年

而自画像则是绘画的一种表现形式。画中画手法会在霍克尼的作品中定期再现；在这种情况下，它提供了一种方法，用来揭露自然主义的幻觉。霍克尼的绘画结构在不同层次上展现的真实性，似乎首先要将观众拉入到绘画空间里。但最终幻觉主义被戳穿，从而强调了与描绘场景的进一步靠近是不可能的事。图像与观众之间的距离无法接合，虽然图像的表面是透明的，但它像玻璃片一样牢固。

　　正是在他的版画和素描作品当中，霍克尼才第一次发现了更为自由的创作方式。在完成一系列描绘朋友的极具学院派风格的大幅平版画之后——包括《比利·维尔德》（第109页）——1976年，艺术家立即为亨利·格尔德扎勒创作了一幅更小的平版画《抽烟的亨利》。娴熟的简练手法并减少形象的要素，这让人想起了远东的水墨画。从1976年开始，霍克尼在平版画上实现的色彩与线条的新自由，指出了一条摆脱自然主义困境的方法，艺术家发现他自己现在正深陷其中。在众多作品当中，1978年霍克尼和版画大师肯·泰勒一起创作的纸质系列画作，显示出强烈的色彩和简单的形式，通过另一种手段改变了艺术家的创作，并允许他采取更为直接的绘画方式。色彩变得比以前更加重要："很多早期作品具有十分强烈的色彩。我认为正是自然主

安·厄普顿这幅尺寸巨大、生动有趣的肖像画所表达的亲密主题，很大程度上要归功于法国印象派和后印象派画家，尤其是埃德加·德加和亨利·德·图卢兹-劳特雷克的作品。它在精神上特别接近图卢兹-劳特雷克1896年创作的著名系列作品《埃勒》（*Elles*），其中描绘的年轻女子——在这种情况下指的是妓女——被表现为正在精心打扮自己，梳理她们的头发，让她们更加漂亮以取悦男人。

《梳理头发的安》（*A Lot More of Ann Combing Her Hair*） 1979年

《躺在扶手椅上的安》（*Celia in an Armchair*） 1980年

义弱化了它们。当你抛弃自然主义时，你就会更多地拥抱色彩。"1980年霍克尼这样
说道。

  1979年夏天在加利福尼亚，霍克尼对20世纪早期法国画家诸如拉乌尔·杜
飞——特别是亨利·马蒂斯——的作品与日俱增的欣赏，强烈影响到艺术家为朋友
安·厄普顿和西莉亚·伯特威尔创作的大型系列平版画。受到这些艺术家例子的鼓
舞，霍克尼非常自由地描绘他的朋友，对观察和自发的创作或创意给予同等的重视。
艺术家用黑色钢笔轻柔而简略地描绘了这一表现西莉亚不同心情的系列作品，其中传
达了非常丰富多彩的情感。

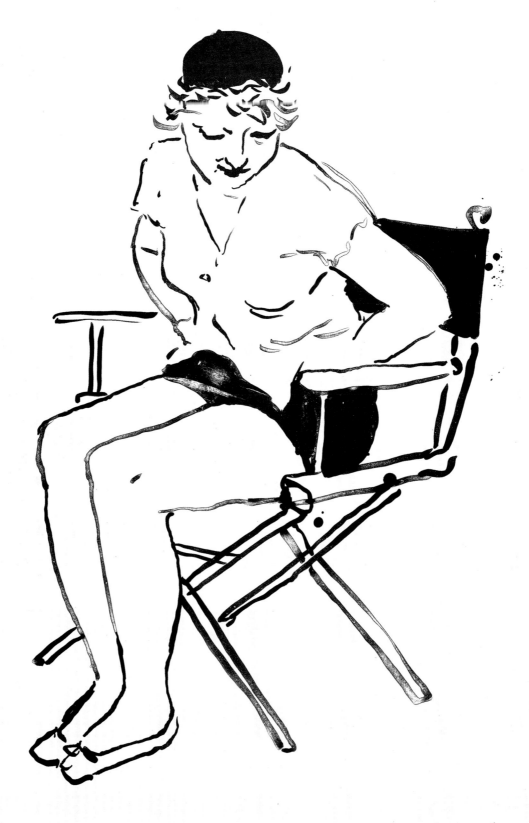

63/100.

《坐在导演椅子上的西莉亚》（*Celia in the Director's Chair*） 1980年

《正在询问的西莉亚》（*Celia Inquiring*） 1979年

《优雅的西莉亚》（*Celia Elegant*） 1979年

《疲倦的西莉亚》（*Celia Weary*） 1979年

　　20世纪70年代末，霍克尼返回加利福尼亚之后创作的那些生动自然的作品受到马蒂斯的强烈影响，这种影响尤其体现在他为老朋友西莉亚·伯特威尔创作的一系列大幅平版画上，当时西莉亚正前去看望霍克尼。这些肖像是用大刷子和黑色液体墨水而非粉笔画在平版之上，生动而有针对性的线条使之成为艺术家最令人愉悦的肖像画。作品表现了艺术家朋友多变的心情和姿态，正如标题所指出的那样：疲倦的、愉快的、询问的和优雅的。

迪万是一位充满传奇色彩的异装癖明星，出演过多部约翰·沃特斯的经典"垃圾"电影，当霍克尼1970年末返回洛杉矶的一年内，他在艺术家位于好莱坞山的工作室为其做模特。再一次受到南加州灿烂色彩与强烈光线的触动，霍克尼采用了让人想起20世纪早期野兽派的激昂色调，以及在诸如拉乌尔·杜飞这样的法国画家作品中才会发现的跳跃笔触。作品的装饰性让人特别回想起20世纪20年代马蒂斯的室内设计，其中的装饰性背景包围着人物并将其固定在那里。霍克尼发现迪万并不是一位完全配合的模特，他在做模特的时候很容易睡着。最终，艺术家别无选择，只能在迪万走后重画他的头像，并借助小照片加深他的印象。在画面中，这位魅力十足的演员似乎完全清醒了，他的左眉以一种夸张的弧度向上翘起，带着一种刻薄的乐趣看着观众。

霍克尼绘画的戏剧性改变的一个例证就是1979年他为迪万创作的肖像。迪万是一个臭名昭著的女装打扮艺术家，主演过很多地下电影，如导演约翰·沃特斯的电影《粉红色的火烈鸟》（*Pink Flamingos*）、《女人的烦恼》（*Female Trouble*）和《菠萝脂》（*Polyester*）。在某种意义上，《迪万》是霍克尼对毕加索1906年为格特鲁德·斯泰因创作的著名肖像画的回应。和毕加索的肖像画一样，霍克尼的作品也是凭借记忆完成，两幅作品都表现了处于艺术突破性发展边缘的艺术家形象。同时它们之间也具有一些心理上的相似之处，都表现了肥胖人物那模棱两可的性向，毕加索作品中是一位同性恋女诗人，霍克尼作品中则是一位异装癖演员。即便如此，霍克尼的绘画在色彩方面和毕加索以及杜飞的作品具有非常多的共同之处，决定性的风格变化允许艺术家在肖像创作中使用更多的颜料和创意。绘画的表面是开放的，艺术家的技巧是可见的，观众不再远离画面空间。霍克尼为年轻朋友伊万·福尔克纳创作的肖像画，正是获益于这种艺术发展的首批作品中的一幅；1981年和1982年创作的两幅素描（第144—145页），通过技术和笔触游走的痕迹来反映伊万的心情。当艺术家的笔触痕迹和图像的情感内容融合在一起的时候，霍克尼就与模特越发的靠近。

保罗·毕加索《格特鲁德·斯泰因》（*Gertrude Stein*）　1906年

《迪万》（*Divine*）　1979年

《坐在藤椅上的伊万I》（*Ian in a Wicker Chair I*） 1982年

在20世纪80年代早期，霍克尼和伊万·福尔克纳有过一段短暂的浪漫纠缠，亨利·格尔德扎勒介绍他俩在1980年的纽约相识。福尔克纳是一位才华横溢的年轻画家（相识时他才19岁），其后依旧是霍克尼珍贵的朋友、旅伴和同行，并为霍克尼筹划的三部歌剧设计服装：瓦格纳的《特里斯坦和伊索尔德》（*Tristan und Isolde*）（1987年）、普契尼的《图兰朵》（*Turandot*）（1992年）和施特劳斯的《没有影子的女人》（*Die Frau ohne Schatten*）（1992年）。他俩相识后，霍克尼在很多素描中描绘了伊万孩子气的美丽外表，这种表现同样也存在于艺术家对宝丽来合成照片（第146页）以及照片拼贴（第160—162页）的早期实验当中。

《伊万》（*Ivan*） 1981年

霍克尼为伊万拍摄的一些摄影图像,展现了他在亲密而平凡的家庭环境中的样子,例如洗头(第162页)。在《伊万与自画像,洛杉矶,1982年3月2日》中,霍克尼恭敬地将他的年轻朋友呈现为自身所具备的那种艺术家的形象,当伊万画自画像的时候,在画架前小憩了一会儿。上层部分的照片中伊万的头出现了两次,第一次是他画自己,接着是他出现在宝丽来的镜头前,鼓励观众将手绘肖像和相机拍摄的肖像加以比较。虽然大多数摄影家都会对每一张照片单独取景,单幅照片那薄薄的白色边框,就好像是传统的取景装置一样,但霍克尼在另外十张照片中却小心翼翼地不这么做,而是让他的视线在空间游走,以一种看上去更随机的方式穿过人物形象。

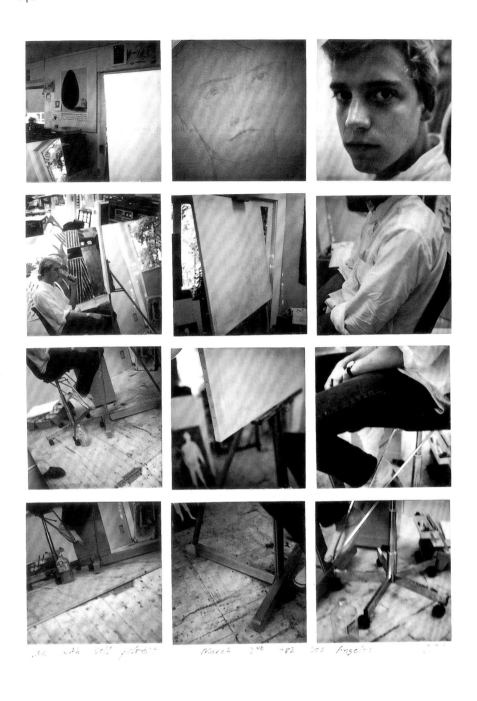

《伊万与自画像,洛杉矶,1982年3月2日》(Ian with Self-Portrait, March 2nd 1982 Los Angeles)

1982年初,阿兰·萨伊格拜访霍克尼,商量艺术家在巴黎的乔治·蓬皮杜中心举办的摄影作品展。霍克尼与萨伊格讨论并合作的结果之一,就是对摄影的重新介入。艺术家买来很多宝丽来胶卷,对展览的素材选择过程进行快速记录,在萨伊格离开之后,他开始处理这些胶卷。霍克尼着手对照片组合进行拼贴,首先是静物,很快就是肖像。他发现这一方法能够解决摄影摆姿势的时间问题。正如拍摄这些图像需要时间一样,观察它们也需要时间,体验一个人审视另一个人所采取的不同视角,也需要时间。

《正在读〈纽约时报〉的莫里斯·佩恩，洛杉矶，1982年2月28日》（*Maurice Payne Reading the New York Times in Los Angeles Feb. 28th 1982*）

　　宝丽来拼贴照片是一种非常直接的图像。当照片拍摄完毕后就直接进行拼接，有时候模特还在现场。整个图像是由很多单个图像组合而成，每一个图像拍摄的角度、时间和透视都不一样。1984年霍克尼说道："后来我发现，这种摄影类型和绘画有关，从某种意义上来讲，摄影做出的选择本质上和绘画做出的选择一样。我按照这些原则创作的第一批图像就是用宝丽来相机完成的；每一张照片都是对物体的特写。这是一种综合视角，但每一张照片都不是从这种视角拍摄的。我总是不得不和我的主题非常靠近。这对色彩具有一种强化作用；当你弱化你和主题之间的气氛时，色彩就会在一种真正的特写中……变强了，如果你非常靠近地观察一张脸，主题就会更加扭曲，就好像毕加索处理面部的那种方式。总的来说，我们没有看到这种特写。你只有躺在床上，才有可能看到这种特写。"

霍克尼强调了这些照片的生动活泼，他特别感兴趣的是，在这个过程当中，图像可以随时变换。艺术家以此来描述他为唐·巴卡迪和克里斯托弗·伊舍伍德拍摄的宝丽来肖像照："我表现了克里斯托弗·伊舍伍德和唐·巴卡迪；我让他们俩靠着工作室的墙摆姿势，就像我画素描那样开始，先是眼睛，然后是头部，再是整个人物。最初他们都看着我，但是由于拍照持续了很长的时间，他们慢慢放松下来，进入一种更为自然的状态。我注意到，过了一会儿唐就非常爱护地向下看着克里斯托弗，所以我替换了照片将这一时刻加进来，并重拍了唐那部分的照片，当时他以为我已经快完成了。这样我就获得了一张更有趣的照片，在我拍摄过程中进行了更改。"但是，对宝丽来照片的使用在某种程度上正不断地缩减。当将这些照片各自整齐地摆放在一起，不进行任何剪裁或重叠，它们总是会形成一个长方形。而且，当整张图片都摆放得条理分明时，它总是会因为宝丽来照片的边框而形成一种明显的白色网格，而这只会将观众从照片中排除出去。另一个问题是，宝丽来照片为场景提供的是一种断断续续的记录，当它们意图模仿观看的自然过程时，这种过程绝不可能是无缝的或连续的。因此，被描绘的人物看上去是零散的，有些要素会出现好多次，另一些则不会这样。这种效果再次让人回想起毕加索和布拉克处于解析立体主义阶段的绘画（宝丽来胶卷具有的有限色域进一步强化了这种相似性）。霍克尼在使用这种素材时充分发挥了它的优势，但通常也意识到它的局限性。他想到宝丽来是一种非常缓慢的媒介。结果，艺术家转向使用传统胶片的照相机并开始创作照片拼贴画。

在拍摄时，伊舍伍德相比巴卡迪距离略有些远，看上去有些收缩，就好像老年人呈现的样子。有意无意地，霍克尼似乎想要在此暗示一种介于两个男人之间的角色反转：伊舍伍德，一度是两人中提供保护的攻，现在正逐渐变成最脆弱的受，接管了需要父母看护和小心照料的幼儿的位置。

《唐和克里斯托弗，洛杉矶，1982年3月6日》（*Don + Christopher Los Angeles, 6th March 1982*）

Don + Christopher   Los Angeles   6th March   1982

《亨利·摩尔，马奇哈德姆，1982年7月23日》（*Henry Moore Much Hadham, 23rd July 1982*）

《诺亚和比尔·勃兰特与自画像（虽然他们正在观看这张正在制作的照片），彭布罗克工作室，1982年5月8日》（*Noya + Bill Brandt with Self-Portrait* [*Although they were watching this picture being made*] *Pembroke Studios 8th May 82*）

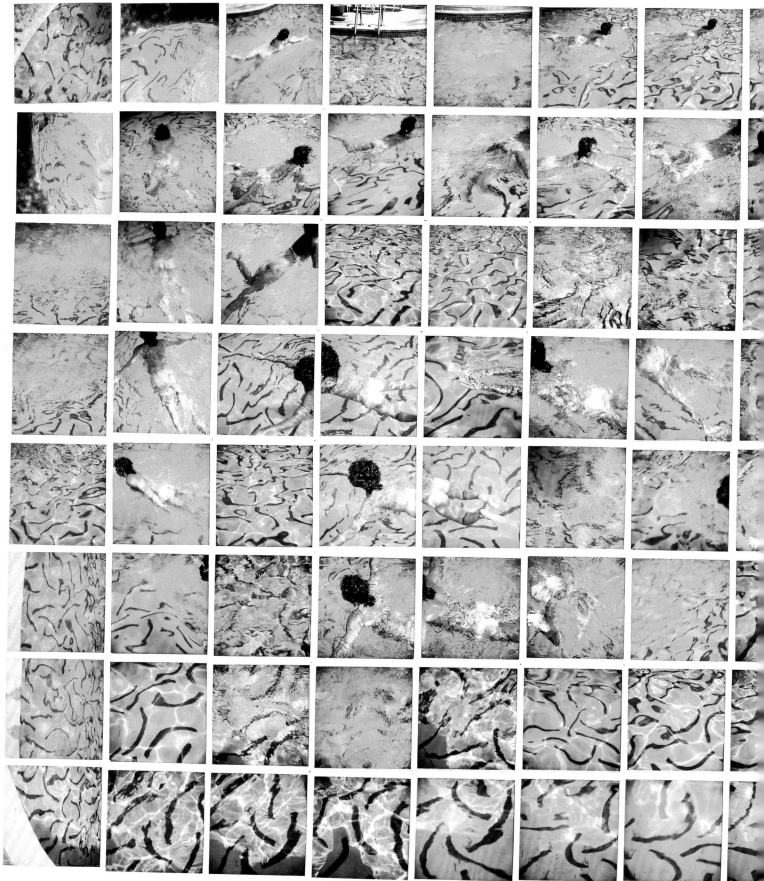

Gregory Swimming. Los Angeles

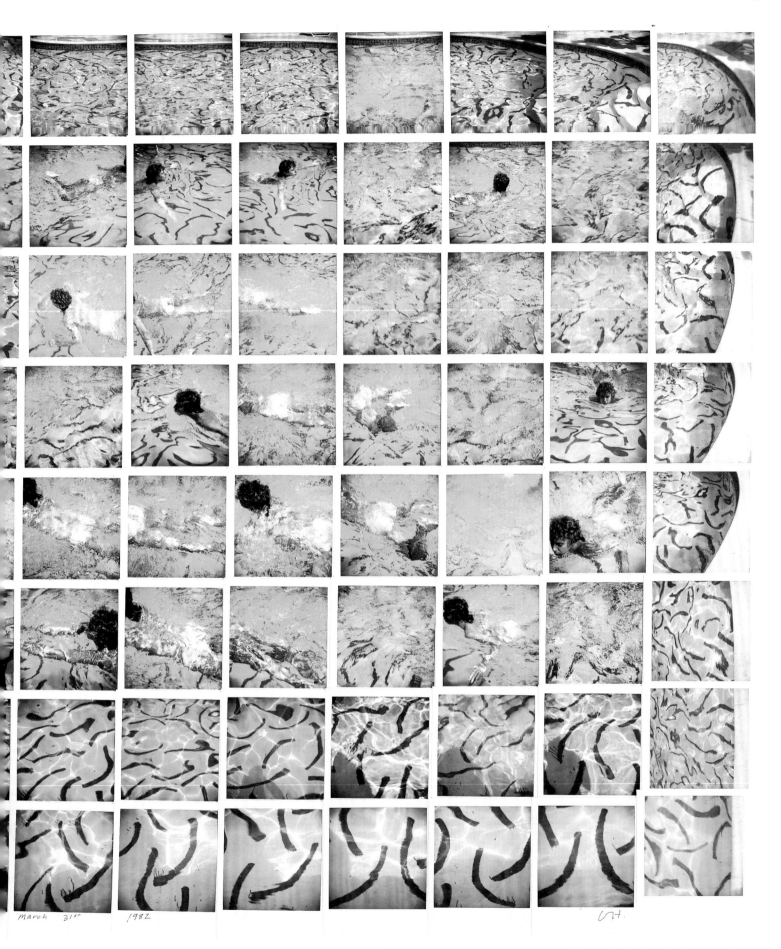

March 31st 1982

《游泳的乔治，洛杉矶，1982年3月31日》（*Gregory Swimming Los Angeles March 31st 1982*）

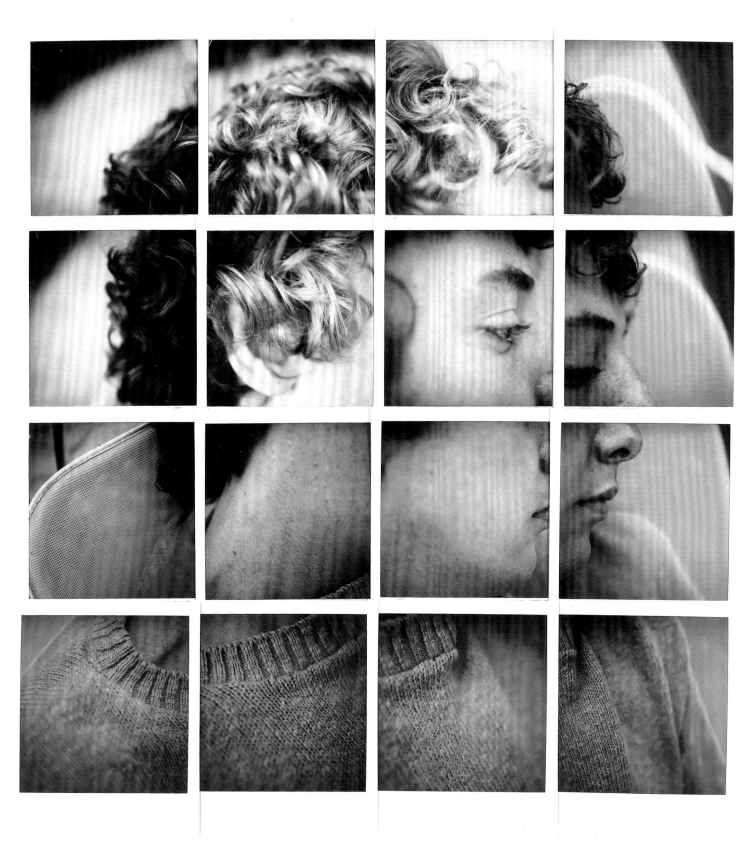

《格雷戈里，洛杉矶，1982年3月31日》（*Gregory, Los Angeles, March 31st, 1982*）

《西莉亚和艾伯特与乔治，洛杉矶，1982年4月》（*Celia with Albert + George Los Angeles April 1982*）

Celia   Los A

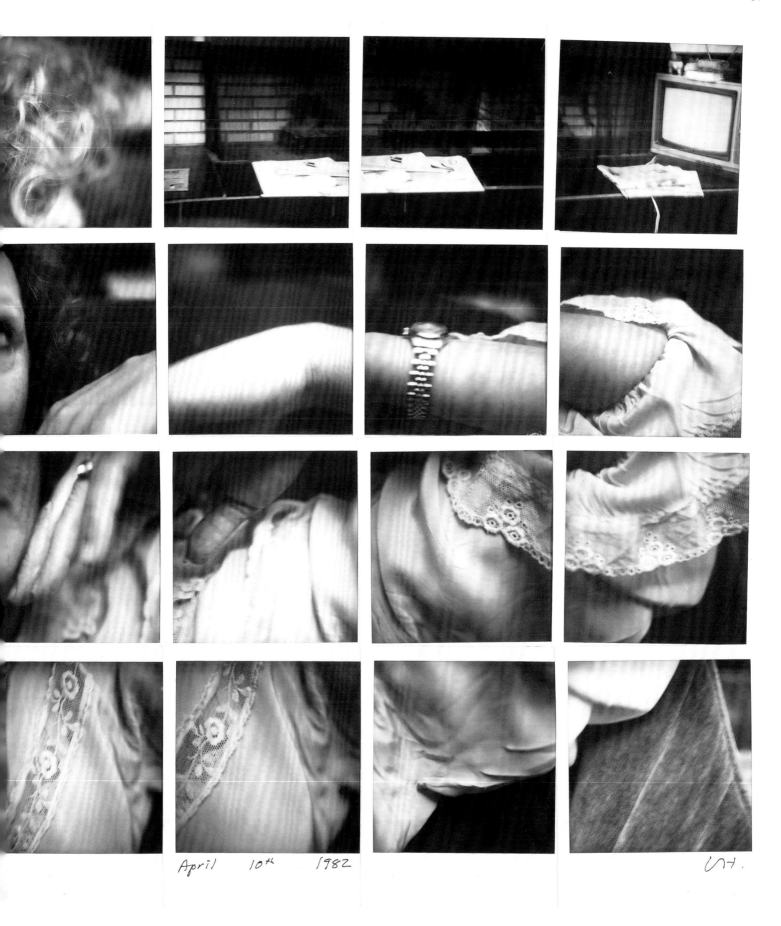

《西莉亚，洛杉矶，1982年4月10日》（*Celia Los Angeles April 10th 1982*）

《泡茶的西莉亚，纽约，1982年12月》（*Celia Making Tea, N. Y., Dec. 1982*）

根据构图原则，照片拼贴是对宝丽来拼贴的反转。被描绘的空间更加连贯，但整个图像的边缘变得不规则——图像不再是长方形的，而是多角形的。虽然图像的连续性得到改善，但是从窗口视角看来仍然不完美，图像始终包含了重复和断裂。照片拼贴的速度也要比宝丽来拼贴快得多，因为不需要等待每一个单独镜头的拍摄过程。但是当图像随后在工作室被组合起来的时候，照片拼贴的成功几乎完全依赖于好的记忆。这些图像现在可能更为复杂，而霍克尼并不觉得需要尊重单一镜头的矩形方框，而是自由地组合图像，按照艺术家认为合适的方式重叠并剪切它们。通过这种方式，作品就会与绘画联系得更加紧密，借助于几张素描，他就能塑造人物的轮廓。

《眺望贝斯沃特的戴维·格拉夫斯，伦敦，1982年11月》（*David Graves Looking at Bayswater London, Nov. 1982*）

《正在给安画像的伊万，1983年2月》（*Ian Drawing Ann, Feb. 1983*）

《正在洗头的伊万，1983年1月》(*Ian Washing His Hair London, Jan. 1983*)

在摄影发明50多年之后，埃德沃德·迈布里奇（Eadweard Muybridge）、艾蒂安–朱尔·马雷（Etienne–Jules Marey）和安东·朱利奥·布拉加利亚（Anton Giulio Bragaglia）都使用运动中物体的静止照片，来暗示动作和时光的流逝。这种以科学探究精神来呈现的摄影，反过来影响了画家的视角，特别是意大利的未来主义画家。霍克尼将其朋友有目的地沿直线行走的样子以条带状加以表现，但步伐并不统一，从历史先例中寻找暗示。迈布里奇最著名的摄影集《人类动作影像》（The Human Figure in Motion），甚至可以作为图片的标题。

照片拼贴要比宝丽来拼贴包含更多的镜头。因为这个过程需要很高的专注度，所以在拍摄前需要非常明确地规划图像，以便记录所有重要的细节，而不忽略任何关键要素。即便如此，这些要素以一种自由的方式拼贴起来，从而具有一种超越宝丽来拼贴的巨大优势：人物被呈现为运动的状态，同时保持连贯性。此外，霍克尼对照片细节的重复使用也要比宝丽来拼贴效果更好。从这个意义上来讲，照片拼贴仿效了毕加索通向综合立体主义的步骤。但霍克尼为这种连贯性付出的代价是，将一张整体的照片加以裁剪，并不再受限于传统照片整齐的长方形外框，他尝试以多个极端的格式和角度，来克服并最大限度地利用这种限制。即便如此，除了某些形式上的困难之外，照片拼贴拥有巨大的潜力，可以捕捉时间，并创造处于运动当中的人物生动的形象。霍克尼这样描述这种方法的优势："最好的肖像照片，就是那些能在几分之一秒之内，捕捉一段看上去似乎持续很久的时间。但这也导致一种表情静止的容貌。表情不可能一直停滞在某一神态上，从而暗示一段短暂的时光。为了拓展这个想法，我拍摄

《步行的格雷戈里，加州，威尼斯海滩，1983年2月》（Gregory Walking, Venice, Ca., Feb. 1983）

《正在东京阅读的格雷戈里，1983年2月》（*Gregory Reading in Kyoto Feb. 1983*）

了多幅比利·维尔德点烟的照片，还有一个更加复杂的主题——我的母亲、安·厄普顿、戴维·格拉夫斯和我玩拼字游戏的一组肖像照（第60—61页）。在长达一个半小时当中，我尝试捕捉各种面容、眼神和表情，所有这些都被合成为一张那个人的生动肖像。"

《正在点烟的比利·维尔德，1982年12月》（*Billy Wilder Lighting His Cigar Dec. 1982*）

《戴维、西莉亚、斯蒂芬和伊万，伦敦，1982年》（*David, Celia, Stephan and Ian, London 1982*）

在这个由八个部分组成的画作中，霍克尼从左到右依次描绘了戴维·格拉夫斯、西莉亚·伯特威尔、抽象画家斯蒂芬·巴克利（标题中被拼写成司提凡）和伊万·福尔克纳。正如艺术家十年后在他的著作《我的观看之道》（That's the Way I See It）中回忆的那样，解决方式直接源自他的摄影实验："我创作了一幅由四个单独肖像构成的作品，人物身体扭曲、头部角度不同等等，尝试运用宝丽来拼贴照片的理念。"20年后，这种特殊作品的格式，也许是潜意识地成为一系列水彩双人肖像画的先例，在这个系列中的每一个人物都再次被设想为两段。

当霍克尼对摄影实验近乎痴迷之时，他创作的画作和素描却相对很少，这些作品表现了艺术家是如何尝试克服摄影的主要限制的——人物缺乏连续性。在诸如画作《戴维、西莉亚、斯蒂芬和伊万，伦敦，1982年》中，他检验了细节重复的可能性，例如对模特的手、脚和面部特征的重复以便捕捉他们的动作。虽然在这种早期尝试中，重复显得相对粗糙，但绘画对摄影的优势已经很明显了。人物不再是断断续续的；不存在打断、突然的剪切和照片拼贴典型的锋利边缘。相反，各要素之间的过渡非常平滑顺畅，虽然作品依旧因生动的笔触而充满活力。

霍克尼在1982年和1983年的素描中对这种新技术进行了改善。在这一点上，素描《正在读书和喝酒的戴维·格拉夫斯》（第169页）正是他不断提高的能力的最好例证。在此，霍克尼将戴维呈现为一种概略的速写，但以一种令人信服的方式传达了他的行动。素描表现出实际标题所陈述的内容，但描绘了全部完整的行动。我们以一种相比文学叙事更深刻的方式融入作品当中，因为从视觉角度讲述的故事是直接而同时发生的，不带任何意义上的时间顺序。的确，正是这种同时性让素描显得如此迷人：它让我们自己去建构我们自己的叙事。我们可以让戴维·格拉夫斯阅读、喝酒、喝酒、阅读……正如这个时期的很多作品那样，霍克尼的素描被设计成在观众的脑中活动起来。

《无题》(*Untitled*) 1983年

霍克尼在这里使用的源自立体主义的风格，似乎是一种特别合适的选择，为这幅带有伊万·福尔克纳的自画像赋予色情的内容。霍克尼敏锐地意识到，正如人们常常假设的那样，毕加索赋予女性身体的那种不寻常的角度和解剖学的扭曲，并不是真正的扭曲，而是艺术家的身体近距离观察模特时的必然结果。这正是当某个人非常靠近地躺在另一个人身旁时会出现的效果，这也正是一个人以视觉形式表达他对另一个人的主观情感的强烈程度。霍克尼对立体主义的重新解释并非是一种风格的自负，而是一种一如既往的探索方式，探索如何让他的描绘更加"真实"与"生动"。

霍克尼吸纳的立体主义的经验，产生了一些别出心裁而又观察敏锐的素描，例如这幅描绘戴维·格拉夫斯的作品，戴维在一段限定时间内交替扮演了两种角色。霍克尼发现了对运动中的人进行快速记录的可能性，而不是要求他的朋友以特定的姿势坐在那里一动不动——很显然，这是在为艺术家做模特这一主题中，都必然会导致的人为动作。尽管它遵循自身的那套绘画传统，但结果具有一种能够说服观众的自然性，并允许我们从容应对一个带有三只手和浮动前臂的怪人形象。

《正在读书和喝酒的戴维·格拉夫斯》(*David Graves Reading and Drinking*) 1983年

《红色的西莉亚》(*Red Celia*) 1984年

《戴维和安在夏威夷结婚》(*The Marriage in Hawaii of David and Ann*) 1984年

THE MARRIAGE IN HAWAII OF DAVID AND ANN

《戴着眼镜的克里斯托弗》(*Christopher with His Glasses On*) 1984年

《大卫·霍克尼设计的时尚杂志封面》(*Cover of Vogue by David Hockney*) 1985年

霍克尼为法国版《时尚》杂志设计了内容充实的41页图片故事，在1985年12月刊和1986年1月刊出版。作为对照片拼贴以及素描和油画——尤其是绘画——的一种才华横溢的继承，艺术家也亲自写了几篇文字，来概述他关于画面、透视、知觉和摄影的思想。封面采取一种倾斜的角度，来强调它作为物体而非平面的真实存在。霍克尼复制了一张西莉亚头像的小画，这是以一种完全简化的伪立体主义风格构思而成。通过她那夸张的睫毛，故意的歪嘴斜眼，作为对毕加索肖像的一种幽默呈现，特别是20世纪30年代晚期为朵拉·玛尔(Dora Maar)所画的那些作品。霍克尼在此故意进行拼凑模仿，似乎带有一些开玩笑的意味，将那些立体主义又送回到它的发源地。

霍克尼从1985年开始创作"动态聚焦"系列平版画，以此作为克服摄影作品问题的另一种尝试。通过这种技法，他的人物在保持连续性的同时还能完成转瞬即逝的动作。毕加索的榜样依然重要，正如在1984年创作的两幅绘画《戴着眼镜的克里斯托弗》和《没戴眼镜的克里斯托弗》中所看到的那样。霍克尼在1980年对马尔科·利文斯通这样说道："我花了很长时间才意识到，毕加索的绘画方式——你可以从画面中看到人物的前面和后面，并不是一种扭曲，它根本就不是一种失真。好了，当你意识到那一点的时候，你开始意识到在某种程度上它是那么的真实，你也想加入其中。但是，事实上，毕加索所做的并不容易。整个想法并不容易，但从某种意义上来讲，那就是我正在做的，因为它实在太真实了。"霍克尼创作的两幅克里斯托弗·伊舍伍德

在一对描绘克里斯托弗·伊舍伍德的新立体主义风格的小画当中，霍克尼采用非常自由的形式，同时又保留了他在最具自然主义风格的写生素描中所具有的那种敏锐的观察力。这些都是非常活泼而亲切的漫画肖像，不折不扣地处于漫画的边缘。不对称的眼镜似乎直接取自毕加索的小肖像画，例如1939年为热姆·萨巴蒂斯(Jaime Sabartés)和埃米莉·玛格丽特(Emilie Marguerite)创作的肖像。

《没戴眼镜的克里斯托弗》（*Christopher without His Glasses On*） 1984年

《克里斯托弗·伊舍伍德》(*Christopher Isherwood*)　1984年

的肖像，详细说明了毕加索描绘面部表情变化的方法。在一篇写于1988年的讨论霍克尼与毕加索之间关系的论文中，艺术史家格特·希夫 (Gert Schiff) 强调了霍克尼 "从一个有利位置向下一个有利位置" 移动地更加流畅了。在他的伊舍伍德肖像中，艺术家传达了一种适时发生的面部神态的感觉，因而拓展了传统肖像的范围，并让观众得以更加贴近模特。同样的，创作于1985年的法国版《时尚》封面上的西莉亚肖像，也更加活泼，更加贴近我们。

霍克尼仿效他的英雄毕加索，在对同一个模特形象化的不同方式中毫不费力地游走。他为老朋友克里斯托弗·伊舍伍德和唐·巴卡迪创作的速写，依赖于钢笔画技法的轮廓线，自从20世纪60年代中期开始，艺术家就使用这种技法了。

在重要绘画作品《与克里斯托弗和唐一起参观，圣塔莫尼卡峡谷》(1984年)

《唐·巴卡迪》（*Don Bachardy*） 1984年

（第176—177页）中，霍克尼引入了另一种绘画来源，使他能以一种无与伦比的新方式将时间与空间融合在一起。这是一种观众可在其中漫游的绘画。它那超常的矩形画幅，提供了一种对克里斯托弗和唐住所的全景画式的回顾。三角形的支配性和静态立方体形式的缺乏，确保视线在空间中游动，克里斯托弗和唐的率直进一步强调了这种运动。我们不应停留在任何一个形象上。作品就是想捕捉对其家庭整体参观的记忆，通过重复的视角从不同的窗户远眺同一片景色——山上的一座房子。这件作品的叙事方式受到中国卷轴画的启发，后者的结构是动态的，和后文艺复兴传统的静态结构

并不一样。霍克尼的绘画成功地将这种结构移植到西方绘画当中。绘画主要是与这种新的叙事形式有关，很少涉及空间本身。这也是一种出人意料的平面性；从远处看，它几乎就像一幅抽象的图案画。

　　沿着他的这种摄影试验，霍克尼继续探索不同的技术媒介，对它们加以重新阐释以便创造一种活泼的形象。随着彩色复印机的首次出现，霍克尼感觉到一种令人激动的新媒介。他发现复印机类似于相机，但又和传统相机不一样，它零距离地创造图像。"自制版画"就是这种发现的第一个结果。这些自由的图像并不具有显著的技术

　　从霍克尼第一次在克里斯托弗·伊舍伍德和唐·巴卡迪家的客厅中描绘他们，迄今已足足16年了。艺术家再次在他们位于圣塔莫尼卡的家中画他们，两人都各自在忙自己的创作，唐在他的工作室画素描，克里斯托弗在用打字机写作。这是霍克尼肖像画当中，通过后立体主义的方式所进行的最复杂、最彻底的分解。

《与克里斯托弗和唐一起参观，圣塔莫尼卡峡谷》（*A Visit with Christopher & Don, Santa Monica Canyon* ） 1984年

吸引力，它那自由和丰富的特性似乎和马蒂斯晚期的剪纸有关。事实上，用这种高科技设备来制作这些图像真的令人感到不可思议。但霍克尼追寻一种人性化的技术，在这个系列中的一幅重要的自画像中，他将自己真实衬衫的复本印制进去（第39页）。从很远的地方就能看到这些图像，它们并不寻求隐藏什么；从1986年以后的绘画都具有一种相似的特性。在和彼得·韦伯（Peter Webb）的交谈中，霍克尼注意到："那些静物和史丹利工具是一样的——它们在这里凸显得非常清楚，但去年的《看电视的伊万》（1987年）就不一样了。我会告诉你为什么。色彩的强度和大胆的形状让画布的边缘消失了，所以作品向你扑过来。这都源自我的复印机，先分层，再拼贴。我让你的

《西莉亚II》(*Celia II*) 1984年

《看电视的伊万》（*Ian Watching Television*） 1987年

霍克尼对立体主义的理解，使其在肖像创作中获得无尽的自由，同时忠于他的观察。艺术家不仅仅向我们展示了一个人的长相，他还以令人吃惊的信念成功地表达了栖息于人身体内的感觉是什么样子。从这张作品中，我们立刻意识到，伊万是一个不安分的年轻人，坐立不安，不时地跷起二郎腿，又不时地放下来。

视线来回游走，正如我用照片拼贴和诸如1984年的作品《与克里斯托弗和唐一起参观》所做的那样。运动就是一切。如果你能让视线来回游走，你就能让观众意识到时间的因素，所以时间和空间将交织在一起。你不可能只看到空间而没看到时间。"这种运动是对观众的一种接近，能靠得非常近。

即便霍克尼抛弃了立体主义的策略和明显的陷阱,回到理论上更传统的外貌描绘,他还是继续认为自己(也包括观众)是在围绕着被描绘的人物持续游走。这种动态特性,这种运动中的身体感觉,对于那些格雷戈里的肖像画来说,就好像他的脸被观看的行为不断地拉扯来拉扯去,形状都变了。

《格雷戈里II》(*Gregory II*)　1988年

《格雷戈里I》(*Gregory I*)　1988年

25 April 88

《莫里斯·佩恩I》(*Maurice Payne I*) 1989年 　《莫里斯·佩恩II》(*Maurice Payne II*) 1989年

　　当1988年霍克尼开始描绘他的朋友时，他选择了一种与彩色激光复印机的玻璃板形状相一致的基本格式。艺术家想复制这些作品以强调原作、相机近距离拍摄的照片以及印刷复制品三者之间的差异。令人感到惊讶的是，这些画作是以一种非常生动的、几乎算是传统的自然主义手法创作出来的，让人回想起霍克尼20世纪70年代的作品，虽然这些画作的色彩要比早期作品显得更为强烈，并彰显了艺术家的印记。头像几乎是真人等大的，同时所有这些因素都让画作显得既亲密又饱含真情。霍克尼在和保罗·乔伊斯（Paul Joyce）交谈时评论道："我正在尝试与室内环境相关的各种透视法。我现在也画最亲密朋友的肖像。我试着在一次单独交谈中就完成肖像作品，大概两到三个小时。我想再次看到我朋友的脸，并快速地描绘他们，而不是讨好他们。"

　　1988至1989年，霍克尼以直接画法创作的小幅肖像画，具有一种速写的新鲜感与自发性，而不是油画颜料本身色彩所具有的厚重、浓稠与活泼。写生，以及模特对看到最终结果的渴望，即便对于像霍克尼这样娴熟的艺术家来说，都是一种令人望而却步的经历。但是对于蚀刻画家莫里斯·佩恩或十几岁的艾伯特·克拉克——奥西和叙利亚的儿子来说，因为他们都是艺术家从小看着长大的，所以在为他们创作肖像画的研究中，丝毫不存在任何紧张或胆怯的迹象。

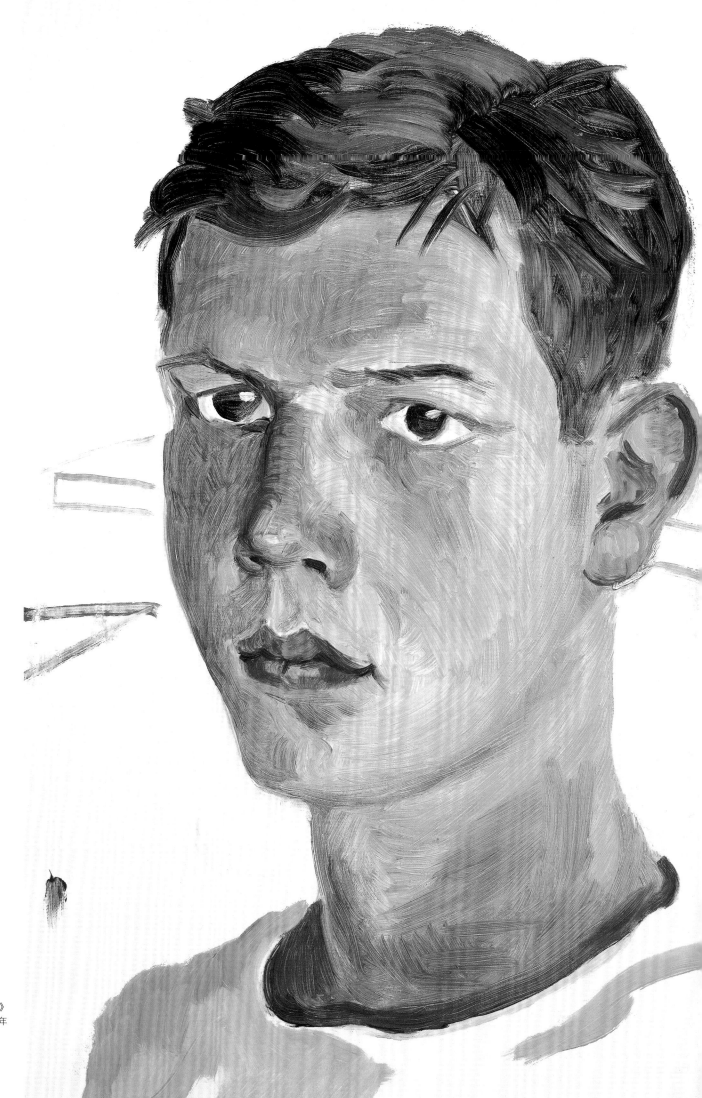

《艾伯特·克拉克 II》
（*Albert Clark II*） 1989年

《宾（麦吉尔夫雷）I》（*Bing*［*McGilvray*］*I*） 1989年

《宾（麦吉尔夫雷）II》（*Bing*［*McGilvray*］*II*） 1989年

《卡伦·S. 库尔曼》（*Karen S. Kuhlman*） 1989年

《阿米斯特德·莫平》（*Armistead Maupin*） 1989年

《老男人和年轻人》（*Older Gentleman with Young Gentleman*） 1989年

　　艺术家的画室生活是孤独的，这也是霍克尼为何会定期将精力集中在肖像画上的一个原因。总的来看，他的肖像画在任何时候都能详细记录艺术家和他周围朋友的交往与友谊。卡伦·S. 库尔曼，从1983年开始艺术家就将洛杉矶办事处的繁杂事务托付给她，她对霍克尼非常真诚，霍克尼描绘她也很真诚。艺术家的朋友宾·麦吉尔夫雷，则被描绘成截然相反的心情，他为写生做好了准备，就好像很多霍克尼的模特都会带有的神情。这是一种民主的做法。小说家阿米斯特德·莫平是广受欢迎的《都市奇情》（*Tales of the City*）的作者，他被表现为一个热心肠的人，而不是当作一个名人加以奉承或吹捧。霍克尼也使用这种流畅的技巧来描绘一些双人像，包括他为戏剧史学家理查德·巴克尔画的双人像，画面中的巴克尔正仰慕地看着一位年轻的男性朋友。

霍克尼对新玩意和新技术的热情，促使他购买了一部日本产的静态录像摄影机，这部摄影机在20世纪80年代末只生产了数百台。通过将图像下载到电脑然后用彩色激光打印机打印出来，霍克尼用这套设备为他的好莱坞山住所拍摄了一系列天然的但形式上非常吸引人的照片，也为一年中每一位到访其住所和工作室的人拍摄了合成肖像。霍克尼近期关于南加州海岸线的一组绘画，成为这套合成肖像的背景。分段式的身体呈现很大程度上归功于他在20世纪80年代创作的照片拼贴，但制作过程更加简单快捷。这种照片拼贴格式类似于"精致的尸体"（exquisite corpses），超现实主义者用后者作为一种好玩的共同完成的作品。16张单独的肖像被贴在同一张纸上，霍克尼创造了一种迷人的积聚效应，展现了那些持续不断访问其工作室的人的来来往往。

《洛杉矶112号的访客》（*112 L. A. Visitors*）（局部） 1990—1991年

《约翰·菲茨赫伯特，1993年12月31日》(John Fitzherbert Dec 31 1993)　　　《杰夫·布克哈特，1994年1月27日》(Jeff Burkhart Jan 27 1994)

　　霍克尼对不同媒介的试验总会让他回归艺术家的基本前提，即坐到模特面前并画其所见。每一轮新肖像都会融入艺术家在涉足不同领域时获得的新体验。霍克尼的肖像画都很有趣，因为它们都受到肖像之外经历的刺激；艺术家探索了巨大的空间，并以一种亲密的尺度来运用这些探索的成果。在20世纪90年代，霍克尼创作了一组抽象画，在这些作品中，他试图通过抽象手段来传达一种深度感与运动空间感。同时，他为朋友创作了一系列素描肖像。1993年约翰·菲茨赫伯特的素描肖像就像是一幅非常传统的肖像，但如果我们将其与20世纪六七十年代霍克尼的素描肖像做比较，就会发现艺术家不断增强的技法自信。20世纪90年代的素描画得非常轻松，具有一种毫不费力的气氛，超越了早期素描过于简略的形式。1998年开始创作的一系列令人印象深刻的蚀刻画（第190—193页），其中就包括版画家莫里斯·佩恩、画家布任

《贝蒂·弗里曼，1994年2月1日》（*Betty Freeman Feb 1 1994*）　　　　《莱昂·班克斯博士，1994年2月16日》（*Dr. Leon Banks 16 Feb 1994*）

　　在1993年和1994年期间，霍克尼投入到一段严格而仔细地观察人脸的周期性创作当中，这次创作的都是大画幅的粉笔素描，大部分画的都是艺术家在洛杉矶的朋友。1994年，霍克尼曾在靠近布拉德福德的萨尔茨纺织厂画过他们。这次回归手绘作品，在某种程度上是对其大量使用现代设备进行创作的反应，这些设备包括相机、彩色影印机、传真机、电脑和彩色激光打印机。在一份目录介绍中，霍克尼对此进行了说明，这些肖像都是用来与他当时创作的一些抽象作品进行对照的："创作这些素描的同时，我正在用水粉画的强烈色彩来描绘一些虚拟的空间。随着空间越来越深，我意识到这是绘画中的一种心理探索。"

达·兹拉马尼和西莉亚·伯特威尔的肖像，同样是一种高超技艺的自信展示，并以此向凡·高与毕加索致敬。

　　20世纪90年代霍克尼肖像画的主要特征就是自由与真实。20世纪80年代那种对时间与空间非常显著的体验被加以抑制，但我们还是能感受到它们的影响。它们也许会成为一种对素描和油画的毕生体验的有效总结，但是在1999年，霍克尼经历了另一种改变，这直接导致艺术进入一种完全新颖而又令人惊讶的研究领域。在参观过19世纪法国画家J.A.D.安格尔的素描展之后，他开始思考经典绘画大师艺术中对光学设备的使用。这对霍克尼的肖像画产生了一种意义深远的影响，从而导致了另一种决定性的转向。

莫里斯·佩恩是霍克尼近30年间最信任的一位版画家，1966年两人就首次合作，为卡瓦菲斯的重要诗集创作蚀刻画，1969年又一起为《格林童话》创作插图。1988年佩恩从纽约搬到霍克尼在好莱坞山的住所，专门创作了一组新的蚀刻肖像画和静物画。早在1971年，当佩恩带着蚀刻凹版陪同霍克尼前往西班牙的时候，他就发现自己从中获益匪浅；这体现在理查德·汉密尔顿、莫·麦克德莫特和莫里斯本人的肖像画当中。在27年后的洛杉矶，莫里斯的策略就是在霍克尼的房子里到处都放一块准备好的凹版，希望总有一些什么能引起艺术家的注意，促使他捡起这些凹版，并自然而然地在上面画画，就好像他在速写本上画速写一样。这个策略成功了，莫里斯在那里待了一年多的时间，准备凹版，试印样张并加以翻印。这段充满热情的创作期产生了大约50张蚀刻画，只有一部分是立即发表的。这些最成功的版画就包括莫里斯、莫里斯女友布任达·兹拉马尼以及西莉亚·伯特威尔（《温柔的西莉亚》）的肖像。这些蚀刻画最醒目的特征就是蜘蛛网般的排线，这是通过特制的钢丝刷在凹版上刮出来的。

《抽烟的布任达》（*Brenda with Cigarette*） 1998年

《莫里斯，1998年》（*Maurice 1998*）

《布任达》（*Brenda*） 1998年

《温柔的西莉亚》(*Soft Celia*) 1998年

5 通过透镜及其以后

马尔科·利文斯通

渴望试验、使用不同的风格并尝试新的材料与技法,一直都成为霍克尼艺术的驱动力。许多艺术家都保持着对某一成功准则的忠诚,霍克尼当然也可以故步自封,对其20世纪60年代在洛杉矶创造的那种泳池绘画不断地重复又重复。尽管公众对霍克尼艺术的认知还固定在一种对南加州阳光与闲暇的快乐幻象当中,但艺术家已经快速地转向使用新主题、新媒介和新技法来描绘世界。

紧随20世纪80年代和90年代早期的戏剧性试验之后,1999年霍克尼猛地又回归到肖像画当中——也包括对透镜的回归。作为对国家美术馆举办的19世纪法国风俗画大师安格尔的肖像画展览的回应,艺术家着迷于安格尔铅笔素描的细节及其令人惊叹的肖似,促使他开始研究早期画家对光学仪器的使用。有鉴于此,在1999至2000年期间,当我们看到霍克尼借助投影转画仪创作了280幅铅笔肖像素描,并以此来向他的杰出前辈致敬时,也就没啥好奇怪的了。但是,这绝不是霍克尼模仿的混杂作品(在其20世纪80年代的试验中所看到的那种),也不是一种后现代的戏仿。

由于对信息一贯的渴求,霍克尼通过阅读安格尔展览的宏大目录,寻找那种任何艺术家都会自发好奇的技术信息。当他发现目录对创作过程所涉及的问题并无涉及,而代之以大量的模特信息时,霍克尼打算通过反复试验来揭示安格尔当时是如何进行创作的。由于发现画面中不存在任何面部特征的轮廓线或是衣服褶皱,可以揭示安格尔在创作时体现出的犹豫不决或笨拙迹象,艺术家想到了沃霍尔众所周知的通过描摹投影照片得来的素描作品。虽然直到1839年才诞生了化学照相术,比安格尔在罗马创作这些铅笔素描肖像的时间要晚30多年,但霍克尼预感到安格尔已经使用了一种被称为投影转画仪的光学仪器,这种仪器在1807年申请了专利。本质上这顶多算是一小块棱镜(安装在金属臂的末端),穿过棱镜的映像被加以折射。早几年前霍克尼就试着使用这个仪器了,但效果并不理想,现在决定换一个试试(这种鲜为人知的仪器现在还在生产,在专业的艺术用品商店很容易买到),并再做一些尝试。

《格雷戈里·埃文斯I,伦敦,1999年6月13日》
(*Gregory Evans I. London. 13th June 1999*)

《莫里斯·佩恩，洛杉矶，1999年7月17日》（*Maurice Payne. Los Angeles. 17th July 1999*）

霍克尼在2002年12月说道，他从创作投影转画仪素描中"获益匪浅"，如果没有那次试验，他就不会创作下面的水彩肖像。"投影转画仪使用起来很麻烦，你无法用它来勾轮廓，你无法用它来画脸。我意识到安格尔只是用它作为一种测量工具，让他的素描画得更快一些。如果你画280张不同的肖像——特别是，如果你在熟悉每一个人的个性的情况下画他们，这也正是我这么做的原因——那将是一组数量庞大的作品。我现在将其视为一件作品。我几乎保留了每一张作品。当人们说画出来的肖像还不如他其他的肖像时，我根本不在乎，因为这就是一次练习，而我从中学到了东西。（1982年至1986年间的）摄影也是如此。我并不在乎这是不是艺术，我始终关心的问题恰恰是'我们如何理解它'。"

《莫里斯·佩恩，洛杉矶，1999年9月11日》（*Maurice Payne. Los Angeles. 11th September 1999*）

《莫里斯·佩恩，2000年10月9日》（*Maurice Payne, October 9, 2000*）

　　霍克尼创作的最早的一幅投影转画仪素描创作于1999年3月29日，画幅几乎和安格尔的铅笔素描一样小，只有在进一步试验之后，艺术家才发现焦距可以改变，越靠近模特，相应产生的虚像越大。起初，霍克尼不愿与大师素描的精确性和生动性竞争，由于艺术家一生都在以新方法描绘人物，因而这种顾虑是可以理解的。即便如此，他的发现所引发的激动，很快就为其艺术的新发展提供了极大的信心，这也促使霍克尼重新思考从中世纪晚期开始的整个西方绘画史，以及其中所涉及的对透镜和各种光学仪器可能存在的运用。霍克尼越发大胆地记录那些姿势的多样性和明显的随意性，并捕捉一个人毫无提防之下的神情，虽然他们都带着被描绘的明确目的来到艺术家的工作室。霍克尼总是喜欢刻画朋友和那些已经研究过很长时间的面孔，现在艺术家此生第一次鼓起勇气去寻求以陌生人作为可能的主题，无需为了确保肖似而去努力。

投影转画仪是一种复杂的设备，霍克尼用其创作的素描，并不是为了探索更简单的解决方案，而是希望能以尽可能大的强度，表达眼前所见和脑中所想的真实。在做模特的那三四个小时中，可能只有最初的两三分钟用到投影转画仪，然后就是去确定眼睛、鼻子和嘴的准确定位，确定三者之间及其与脸的形状之间的关系，从而确保更加肖似。这些痕迹是模糊的，肉眼几乎看不见，但在描绘一个不太熟悉的面孔时，能增强艺术家的信心。剩下的时间都用于直接观察对象，并进行最高层次的手眼协作。

捕捉稍纵即逝之印象的困难，例如微微一笑或是眨眼，对霍克尼来说，不仅仅成为一种巨大的技术挑战，而且也是确保每一幅肖像看上去都栩栩如生的一种手段。就在使用投影转画仪数周之后，霍克尼开始意识到，让他或她更靠近自己正在画画的桌子，就能增强每个模特的实际存在感，从而扩大悬停在纸上的可见虚像。从创作这些图像的实践中产生的那种艺术探索的直觉性，很明显源自如下的事实，当艺术家在描绘第一批更大的形象之时，他发现需要增加第二张纸，才能为躯干和手都腾出地方。

1999年1月，霍克尼前往欧洲指导他在巴黎举办的作品展的布展事宜。当时，他在伦敦待的时间比预期的还要长，因为他太过专注于创作这些投影转画仪素描了，根本停不下来。艺术家开始有意识地创造一种社会的典型，他所塑造的角色就包括男人和女人，年轻人、中年人、老人。到6月底，霍克尼创作了足够多的新作品，可以为其在伦敦安内利·朱达画廊举办的"空间&线条"展挑选出56张素描。然后他回到自己在洛杉矶的家中，继续用同样的过程创作肖像，虽然他的工作室条件比家里更理想，拥有强烈的顶光照明。同时，他继续检验经典绘画大师的绘画作品，寻找使用透镜和光学仪器的证据。在那些因其直觉和理论所激励的朋友、助手和艺术史家的帮助下，霍克尼系统地阐述了一种非常具有说服力的视觉证据，最终成为其2001年著作《隐秘的知识：重新发现西方绘画大师的失传技艺》（*Secret Knowledge: Rediscovering the lost techniques of the Old Masters*）的基础。

1999年夏天，霍克尼开始以水粉画的形式在作品中加入色彩，以此作为一种辅

霍克尼借助投影转画仪在铅笔素描中构建的准确度和细致观察，对艺术家其后创作的人物作品产生了强烈的影响。"我认为让我得到解放的更多的是一种对照片的认知，在摄影诞生前，大多数人都无法获得这种认知。投影转画仪坚定地让我意识到光学能做什么，所以，当我画了280张素描时，我看到了别人无法看到的东西。"在画自己的时候，当然不可能使用这种光学仪器，因为艺术家只能通过镜子研究自己。尽管如此，即便是在用更宽的木炭来画自画像时，那种对面部进行严谨研究所获得的经验早已铭刻于心。

J.A.D.安格尔《托马斯·克朗奇博士》(局部) (*Dr Thomas Crunch*)　1816年

J.A.D.安格尔《安德烈-伯努瓦·巴罗,也称为托雷尔》(局部) (*André-Benoit Barreau, called Taurel*)　1819年

J.A.D.安格尔《阿道夫·梯也尔夫人肖像》(局部) (*Portrait of Madame Adolphe Thiers*)　1834年

J.A.D.安格尔《男子肖像,可能是埃德姆·博歇》(局部) (*Portrait of a Man, possibly Edmé Bochet*)　1814年

　　这是九张安格尔素描中的四张局部,出自霍克尼2001年的著作《隐秘的知识》中的两页,反面则是相似的栅格化头像,选自他的《十二幅仿安格尔的统一风格肖像画》。霍克尼相信,伟大的19世纪法国艺术家使用了投影转画仪来帮助他获得更精确的人像。艺术家刚刚接触这种仪器,就开始亲自进行试验。这让霍克尼对艺术史有了一次更彻底的游历,并以著作《隐秘的知识》结束。"《隐秘的知识》对我来说是一种解脱。无论你读过与否,这都是为**我自己**而写的。"

《罗恩·利利怀特，伦敦，1999年12月17日》（局部）（*Ron Lillywhite. London. 17th December 1999*）

《普拉温·帕特尔，伦敦，2000年1月5日》（局部）（*Pravin Patel. London. 5th January 2000*）

《玛丽亚·瓦斯克斯，1999年12月21日》（局部）（*Maria Vasquez. London. 21st December 1999*）

《布赖恩·韦德莱克，伦敦，2000年1月10日》（局部）（*Brian Wedlake. London. 10th January 2000*）
《十二幅仿安格尔的统一风格肖像画》（*12 Portraits after Ingres in a Uniform Style*）（局部） 1999—2000年

　　2000年6月，霍克尼受邀参加伦敦国家美术馆举办的"邂逅：青出于蓝"展览。每位艺术家都要求从一件馆藏作品中获得创作灵感。霍克尼颇为自由地从一年前美术馆展出的安格尔肖像中，选择了一张精细的小幅铅笔素描，以此作为这次展览的出发点。为了凸显一种民主的姿态，霍克尼选择描绘美术馆守卫的正面，以此创作了《十二幅仿安格尔的统一风格肖像画》，所有的素描都借助了投影转画仪。作为这种决定的一个有趣的副产品，同时也是特别令艺术家着迷的是，公众在观展的时候，可以和作品中描绘的一些人打个照面。

助的绘画表现因素。人们注意到一个细节，那就是在艺术家的凝视下，每一个面孔都被赋予其完全令人信服的个性：微微倾斜的头部，凹陷或凸起的鼻子，下垂的眼睑，一只耳朵或鼻孔区别于另一只的非对称差异，后退的发际线，一只眼睛比另一只眼睛高，或是眼睛和鼻梁之间的间隔偏大。每一个"瑕疵"或对经典比例的偏离，不是按社会肖像画方法进行的掩饰，或是某个时尚工作室的摄影师用喷枪工具进行的消除，反而因为它展现出特殊个体的一种唯一存在的迹象而出了名。身体语言——特别是人们握手的方式以及展现自我以供艺术家审视时所体现的自信——吐露了一切。

使用投影转画仪辅助创作的肖像画决不奉承，但也绝非苛刻或无情。它们只有诚实与真实。虽然霍克尼在模特走了以后有时会重画某些部分——例如强化面料设计或加强某块阴影——但是不存在篡改的迹象。艺术家会将这些素描中的头像影印放大，这样他就能把它们钉在一起，并更紧密地仔细检视它们，从而获得它们自身所具有的那种令人难以忘怀的特征。有时候，人们能从面部获知昨晚发生了什么、喝了太多酒甚至思考得太多的印象。当然，保持一种姿势数小时不动，也不交谈，这种行为会让模特在一定程度上有种离群索居的感觉。自然而然地，这种过程不仅会让那个人显露出当天自己的心境，而且也更凸显了他们的特征，无论他们是欢乐的还是忧郁的、乐观的还是焦虑的。正如笔触准确地界定了一个坐在空间中的完全个体，而不只是创造了一个纸面的形象，因而，这些素描超越了表面去深入探究复杂的心理现实。艺术家对细节的关注多少传达了模特直面世界的方式：优雅的或不拘礼节的装扮，胡子拉碴或精心打扮。当他们拜访霍克尼的工作室时，都对自己所期望展现给子孙后代的模样做了精心选择。

在记录事实而不只是衰老的过程上，这些素描充满了理智与洞察力。这一点在艺术家对多年好友的描绘中尤为引人注目。也许稍显有些过分的是，霍克尼创作这些肖像画的部分原因，是为了让自己从母亲的去世中摆脱出来，他的母亲在1999年初去世。接受母亲去世的现实和悲伤的过程，对霍克尼来说是一次沉重的打击，因为从20世纪80年代早期开始，很多朋友就过早地离他而去，这让霍克尼对死亡的感觉越来越强烈。总的看来，这些不起眼但又技术娴熟的素描，甚至超越了那些非常有趣、急切而重要的问题，这些问题主要涉及在创作中使用的技术和光学仪器。正如那些过去40年甚至更久以前的霍克尼最好的作品一样，它们让我们对自身的人性产生了一种强大而令人激动的领悟。

《埃文斯·格雷戈里，洛杉矶，1999年9月18日》（ *Gregory Evans Los Angeles, 18th September 1999* ）

《约翰，雷克雅未克，2002年7月4日》(*John. Reykjavik. 4th July '02*)

　　在将投影转画仪放到一边后，霍克尼又继续创作了一些素描，这些作品包含的细节比以前作品选择描绘的还要多得多。让这些新肖像显得更加引人注目的关键在于，从技术方面来讲，它们不是用铅笔画出来的——铅笔允许擦除与修改，它们是用更难修正的钢笔墨水画出来的。比起霍克尼在1966年到1980年之间创作的线描来看，这些作品显得不那么简练，包含了很多的短小笔触和交叉排线，用来暗示阴影和体积。对黑色和深褐色这两种墨水的使用是另一种创新，它允许艺术家对诸如头发和衣服的细节和肤色加以区分。2003年初，在霍克尼于伦敦安内利·朱达画廊举办的"纸上绘画"(Painting on Paper)展当中，这些素描都作为附属作品一同展出。

《雷恩·韦施勒》（*Ren Weschler*） 2002年

《格雷戈里》（*Gregory*） 2002年

　　韦施勒是第一位为霍克尼的拼贴照片撰写长篇文章的美国人，这篇文章名为《大卫·霍克尼的照片作品》（*David Hockney Cameraworks*，1984年）。2000年1月他也为《纽约客》杂志撰写过一篇文章，在这篇文章中，他首次将霍克尼对经典绘画大师使用光学仪器的调查公之于众。画面中，韦施勒右手牢牢抓住的便笺和笔不仅仅表明其作家的身份，也表达了他记录自己和艺术家之间对话及交流的冲动。和霍克尼本人一样，韦施勒也戴着眼镜：这相应地也表明他透过眼镜观看世界的方式，和霍克尼之间存在着共同之处。

cH.
8th July 02

《巴里·汉弗莱斯》（*Barry Humphries*） 2002年

澳大利亚演员和作家巴里·汉弗莱斯，通常为
人所知的是他那奇怪的创造物埃德娜·埃文列支
夫人（Dame Edna Everage）。他在1999年为霍克
尼的投影转画仪肖像做模特。

《罗比》（*Robbie*） 2002年

Jean Pierre.
27 July '02

《让-皮埃尔》（*Jean-Pierre*） 2002年

《詹姆斯·沃森》（*James Watson*） 2002年

《保罗·约翰松》（*Paul Johnson*） 2002年

　　霍克尼长期痴迷于科学技术，他对通过介绍认识詹姆斯·沃森感到非常激动。詹姆斯和弗朗西斯·克里克（Francis Crick）一起在1953年发现了DNA编码。沃森是一位非常有耐心和包容力的模特。这些素描是霍克尼创作的钢笔墨水素描新系列的一部分，艺术家不仅仅像以前一样使用了黑色墨水，还使用了深褐色墨水，作为一种暗示肤色的方式。理查德·多蒙特（Richard Dorment）对此敏锐地写道："霍克尼将注意力集中在微弱的笑容、颤动的嘴角、微闭的眼睛或紧张不安的交叠手指——扑克玩家称之为'告知'，在精心准备的姿势中揭示了那些可能试图逃避的东西。因此，霍克尼让我们在其对记者保罗·约翰松的描绘中看出保罗的自负，这一点也不奇怪，但是让我们看到怨愤的嘴中显露的挫败和眼神中闪烁的痛苦，这就让我们感动惊奇了。"

210

《丹尼·卡茨》(Danny Katz） 2002年

《穆尼尔·本任克》（*Munir Benjenk*） 2002年

2002年1月，霍克尼原计划去埃及旅行。在谢赫沙特·本·穆罕默德·本·阿里·阿勒萨尼的邀请下，艺术家在那里策划了一场小型展览，展出其1963年和1978年在当地创作的素描。阿勒萨尼是一位霍克尼作品的热心收藏家，在未告知艺术家的情况下（作为一种惊喜与支持）前往开罗和霍克尼见面。结果，霍克尼在最后一刻推迟了行程，但是当他收到展览目录复印件时，对于那些早期作品第一次聚集到一起，他感到非常的激动。霍克尼尤其对其中两幅水彩画着迷，这两幅作品是艺术家在第一次埃及旅行时创作的，当时正处于一种典型的无意识状态，这促使霍克尼再次采用这种媒介一试身手，这是一种特别有助于创作但又再也无法找回的方式。

3月，霍克尼前往英国，由于他在洛杉矶的房子正在翻新，所以这意味着这是一次短暂的逗留。途中艺术家在纽约停留了一会儿，前往大都会博物馆参观一个中国绘画的展览，并创作了几幅静物画和迷人的水彩风景画，所描绘的景色是他从旅馆窗户眺望中央公园的风景。当他抵达伦敦，就立即前往他在肯辛顿（Kensington）的工作室，用质量最好的黑貂毫笔，创作更多的水彩静物画：因为这种笔能保持更多的水分，创造更加丰富的色彩层次。在描绘了一系列工作室中的盆景"肖像"之后，霍克尼又马不停蹄地把周围的一切都画了一遍：快速勾勒了开花的树木，接着凭借记忆描绘了他返回工作室时的景象；卧室窗外精心打理的美妙花园；最后是拜访工作室的朋友和其他访客。

到2002年底，霍克尼还待在伦敦，艺术家一再延长自己的停留时间，以便不打破这一猛烈的创作势头，这是他成为画家以来最多产的一年了。自20世纪70年代末以来，这是霍克尼在英国待的时间最长的一次，也是自从尝试照片拼贴之后，对一种新媒介使用最持久的一次。水彩，常常被嘲笑为业余爱好者才会使用的工具，现在变得更加适合他，艺术家在过去的数十年间，也曾偶尔尝试过水彩。薄涂色彩的半透明性，微妙的光线效果，每一笔都看得一清二楚，他对水彩的所有这些因素都非常喜欢。"我对水彩创作中留下的一切痕迹都感到非常激动，而油画却未必如此。在水彩画中，你无法掩盖任何笔迹。这是一个关于作品构建的故事，然后，作品又能讲述另一个故事。"最重要的是，那种非常快速的、自发而果断的创作方式推动了一种创作的节奏——和油画不一样，这种节奏可以跟得上艺术家那永远骚动的头脑和永不停歇的视觉好奇心。

在2002年3月初，霍克尼回到他在伦敦的工作室，这意味着一次短暂的逗留。他很快就着迷于对水彩的新实验，无论什么事情都无法让他离开伦敦，除了两次前往挪威和冰岛，那是为了探寻北方夏日的阳光，为其以速写为基础的大型系列风景画做准备。他也开始将水彩技法运用到肖像画当中。

"水彩画能保留笔触，绘画的痕迹无法被覆盖。油画则可以覆盖。毕加索晚期很了解笔触，一切都无法覆盖。我认为毕加索在20世纪60年代就对此有所发现，当时人们还没有过度地打扰到他。他是一个自由的老人，可以做他想做的一切。"

《乔治·劳森》（*George Lawson*）　2002年

　　霍克尼于2002年春天开始创作的水彩画肖像，并未采用从投影转画仪素描中获得的经验，通过后者能使艺术家获得一种信心，无论画任何人都能实现令人信服的肖似。虽然创作水彩画和投影转画仪素描一样需要接近模特，但由于水彩画具有丰富的色彩，以及用半身大小的画幅就可以描绘全身人像的特性，从而获得了一种完全不同的存在感。按照艺术家自己的想法，这也是对占据支配地位的摄影式观看方式的一种有意拒绝的结果，同时也希望为21世纪提供一种更人性化的选择。霍克尼说道："我坚信绘画是不会消失的，因为它无可取代。"接着又充满挑衅地补充道："摄影还不够好。它还不够**真实**。"

《保罗·米利亚》（*Paul Melia*） 2002年

　　从一张纸上的单人像开始，接着是两张大幅水彩纸，接着继续扩展到多达34张纸的双人像系列。霍克尼继续探索表达姿势、身体语言、面部表情和外表样貌的绘画语言。在差不多半年当中，霍克尼创作的双人像数量要比他前40年创作的还要多。由于技术原因，这些作品在创作的时候被分为几个部分，因为不少作品都是铺在桌子上画的。大部分双人像是在一段单独时间中完成的，每次不超过七到八个小时。正如他经常做的那样，霍克尼拒绝为名人画肖像，他更喜欢让他熟悉的朋友或关系密切的人作为肖像的主题。夫妻、画家同事、兄弟姐妹、父母和孩子都曾被他画过。只有2002年1月底创作的25幅肖像中的一些作品，例如画家卢西恩·弗洛伊德及其助手的肖像，是为公众熟悉的名人肖像。总之，人们无需知道画中人是谁，无需打听关于他们的轶

《斯蒂芬·斯图尔特–史密斯》（*Stephen Stuart–Smith*）　2002年

事传言，无需理解彼此关系的性质或相互之间微妙的影响。他们注视对方的方式或称呼观众的方式，他们自我控制的做法，他们承认彼此存在或互不理睬的程度，这一切都是一种视觉证据。通过一生敏锐地观察，霍克尼依旧是这个世界和人生阅历最敏锐的见证者，也是最擅长以绘画来转译这些观察者的人。

《马修·斯彭德》（*Matthew Spender*）　2002年

《西莉亚·伯特威尔》（*Celia Birtwell*） 2002年

《格雷戈里II》（*Gregory II*） 2002年

《林迪·达弗林》（*Lindy Dufferin*） 2002年

《谢赫沙特·本·穆罕默德·本·阿里·阿勒萨尼》（*Sheikh Saud bin Mohammad bin Ali Al-Thani*） 2002年

"水彩画需要面对模特写生，就好像摄影家拍照那样。区别在于，当你面前有两个人的时候，你必须让他们坐在一起，这样才能画他们。他们不会以别的方式坐在那里。从一开始我就会一张脸一张脸地去画，模特会察觉到这一点，虽然他们无法看到画纸，也不知道我正在做什么。如果其中一个人察觉到你正在画另一个人，那么那个人就会放松一些，甩甩胳膊什么的。我一直在观察，所以我对这一切了如指掌。因此，这也是一次关于持续时间的创作。"

《雅克布·罗思柴尔德和汉娜·罗思柴尔德》（*Jacob and Hannah Rothschild*）　2002年

在用水彩画创作那些喷薄而出的风景画和肖像画时，有超过四个月的时间，霍克尼每天早晨都会和80岁的画家卢西恩·弗洛伊德一起坐坐，他俩已经成为非常亲密的朋友。霍克尼对观看弗洛伊德的创作过程非常着迷，同样也着迷于和他进行长时间的交谈。这一经历无疑证实了他自己对审视人类面容更强烈的渴望。为了回报这种痴迷，弗洛伊德和他的助手戴维·道森为霍克尼当了一天的模特；颜料四溅的工作靴，连同他的面部表情与手的姿势，一道揭示了画家的性格与身份。

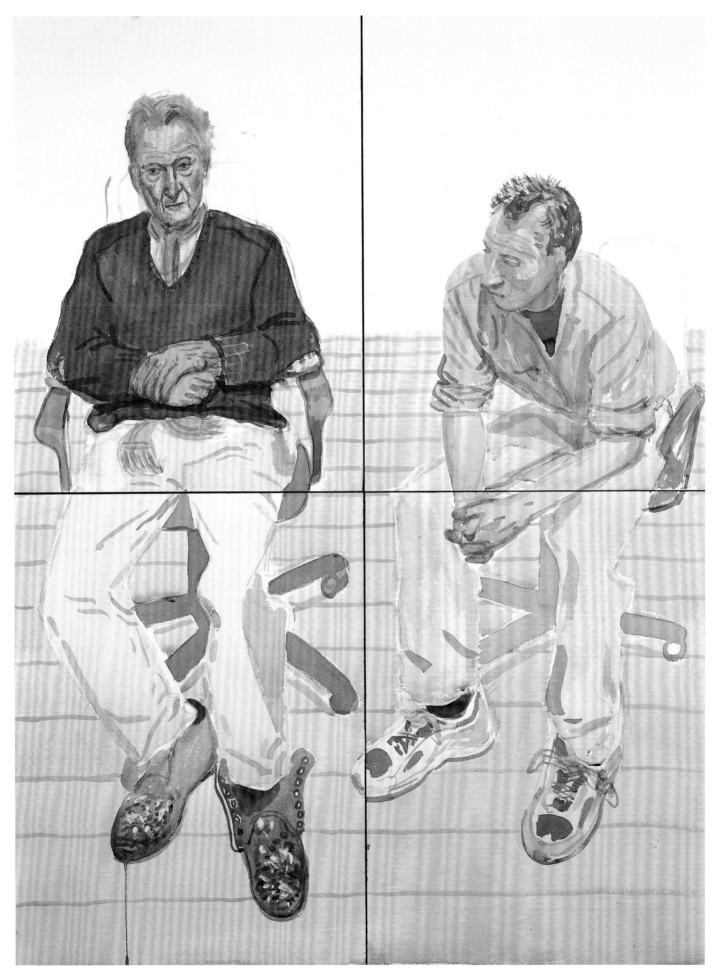

《卢西恩·弗洛伊德和戴维·道森》（*Lucian Freud and David Dawson*） 2002年

《诺曼·罗森塔尔和曼努埃拉·罗森塔尔》(*Manuela and Norman Rosenthal*)　2002年

　　拍摄这幅肖像的作者及其伙伴——出版商斯蒂芬·斯图尔特–史密斯，被允许近距离观察霍克尼的创作，甚至拍摄一系列画家创作时的照片。2003年发表的一篇文章，论述了本文作者被艺术家描绘的体验，当时也正是艺术家第一次举办水彩画展的时候。

《马尔科·利文斯通和斯蒂芬·斯图尔特–史密斯》(*Marco Livingstone and Stephen Stuart-Smith*) 2002年

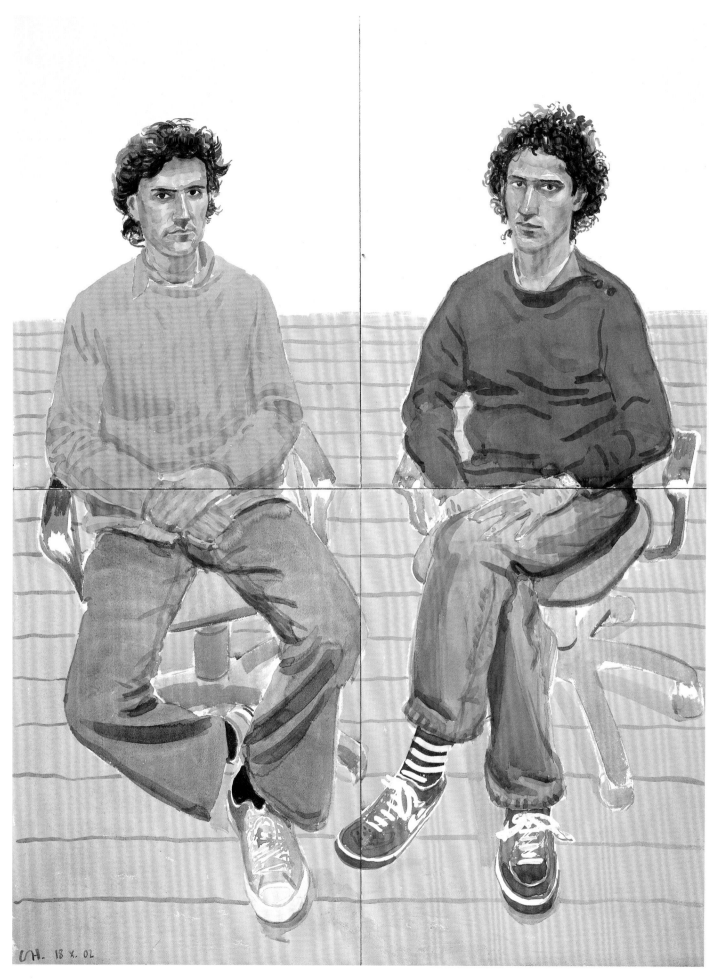

《查尔斯·格尔德和汤姆·格尔德》（*Tom and Charles Guard*） 2002年

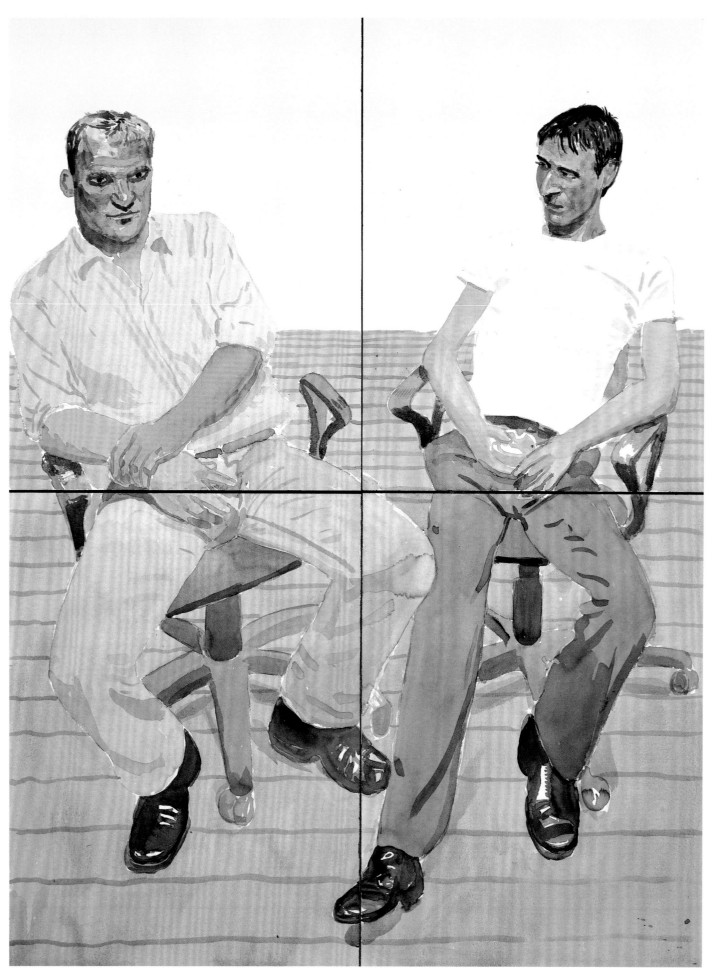

《约翰和罗比（兄弟）》（*John and Robbie*［*Brothers*］） 2002年

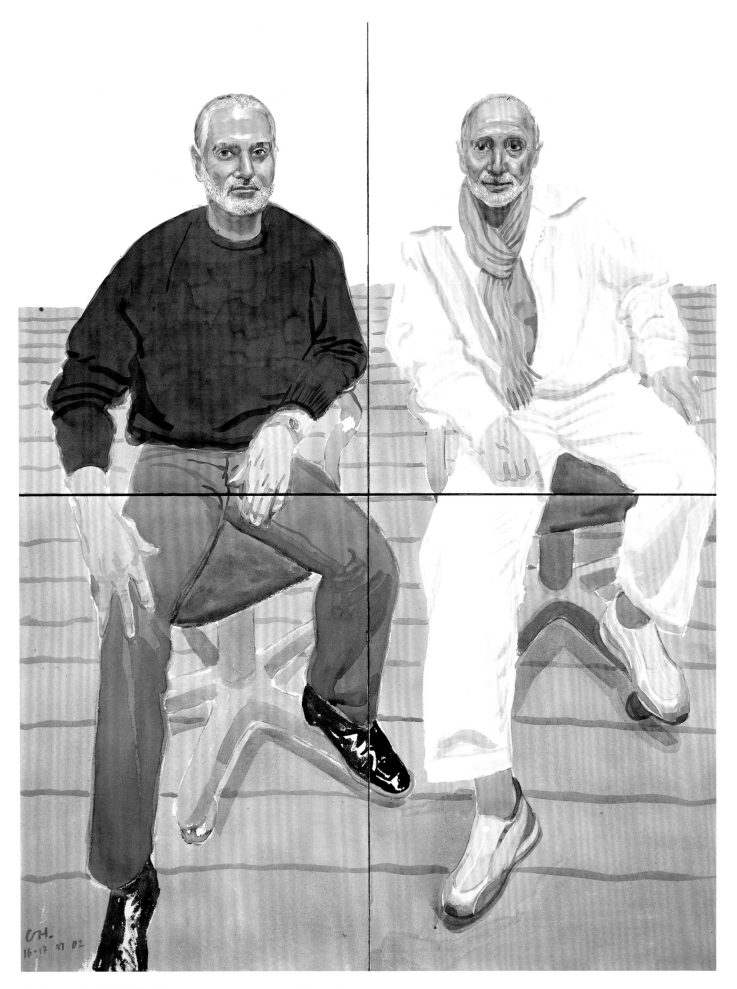

《苏利·邦内利和罗伯特·利特曼》（*Sully Bonnelly and Robert Littman*） 2002年

《恰克·沙赛和梅利莎·沙赛》（*Tchaik and Melissa Chassay*） 2002年

《雅基·施特克和布赖恩·扬》（*Jacqui Staerck and Brian Young*） 2002年

《弗莱彻·阿尔卡迪亚和罗宾·卡茨》（*Arcadia Fletcher and Robin Katz*） 2002年

《托尼·哈里森和西翁·托马斯》（*Tony Harrison and Sion Thomas*） 2002年

《马丁·肯普和玛丽娜·华莱士》(*Martin Kemp and Marina Wallace*) 2003年

引文出处

8   *David Hockney: New Drawings. Some Drawings of Family, Friends, and Best Friends, 1993–1994*, 1853 Gallery, Salts Mill, Saltaire, Yorkshire, 1994 [unpaginated]

12   D. Hockney, *David Hockney Photographs*, London and New York, 1982

28   Essay by G. Schiff in *Hockney Retrospective*, London and New York, 1988

56   M. Livingstone, *David Hockney*, London and New York, 1996, p. 193

67   D. Hockney, *That's the Way I See It*, London and San Francisco, 1993, p. 188

81   M. Livingstone, *David Hockney*, London and New York 1996, p. 103

138–40   M. Livingstone, *David Hockney*, London and New York, 1996, pp. 206–207

147–48   D. Hockney, *On Photography. A Lecture at the Victoria & Albert Museum, November 1983*, André Emmerich Gallery, New York and Zurich, n. d. [1984]

163–65   D. Hockney, *On Photography. A Lecture at the Victoria & Albert Museum, November 1983*, André Emmerich Gallery, New York and Zurich, n. d. [1984]

167   David Hockney, *That's the Way I See It*, London and San Francisco, 1993, p. 96

172   M. Livingstone, *David Hockney*, London and New York, 1996

177–79   P. Webb, *A Portrait of David Hockney*, London, 1988

182   D. Hockney, *Hockney on 'Art': Conversations with Paul Joyce*, Boston, New York and London, 1999

189   D. Hockney, *David Hockney: New Drawings. Some Drawings of Family, Friends, and Best Friends. 1993–1994*, 1853 Gallery, Salts Mill, Saltaire, Yorkshire, 1994 [unpaginated]

195ff   Passages in Marco Livingstone's chapter 'Through the Lens and Beyond' are based on his introduction for a leaflet published on the occasion of an exhibition at UCLA Hammer Museum, Los Angeles, *Likeness: Recent Portrait Drawings by David Hockney*, 2000

197, 198, 200   Unpublished interviews by M. Livingstone, December 2002

209   R. Dorment, 'Return to Greatness', *The Daily Telegraph*, London, 15 January 2003

212, 214, 220   Unpublished interviews by M. Livingstone, December 2002

延伸阅读

Hockney's Portraits

Aldred, N., 'Figure paintings and double portraits' in P. Melia (ed.), *David Hockney*, Manchester, 1995, pp. 68–88

David Hockney: Faces. With commentaries by M. Livingstone. Includes an essay by M. Livingstone, 'A Life in Portraits'. London, in association with Laband Art Gallery, Loyola Marymount University, Los Angeles, 1987

David Hockney: Flowers, Faces and Spaces, exh. cat., 2 vols, Annely Juda Gallery, London, 1997

David Hockney: New Drawings. Some Drawings of Family, Friends, and Best Friends. 1993–1994, 1853 Gallery, Salts Mill, Saltaire, Yorkshire, 1994. Introduction by D. Hockney

David Hockney: Painting on Paper, exh. cat., Annely Juda Gallery, London, 2003. Includes an essay by M. Livingstone, 'Sitting for Hockney'

Likeness: Recent Portrait Drawings by David Hockney, exh. cat., UCLA Hammer Museum, Los Angeles, 2000. Includes an essay by M. Livingstone, 'Faces Lit with Life: Hockney's Camera Lucida Portraits'

Livingstone, M., 'David Hockney: Portrait of a Humanist with Artistic Devices' in *Art and Design*, vol. 4, no. 1/2 [David Hockney], February 1988, pp. 18–27

Livingstone, M., 'Hockney y la figura humana' in *Arte: Revista de arte y cultura*, edición 5, trimestre IV, 1988, pp. 24–28

Livingstone, M., review of David Hockney portraits at 1853 Gallery, Saltaire, in *Burlington Magazine*, vol. CXXXVIII, no. 1120, July 1996, pp. 475–76

Morphet, R., *Encounters: New Art from Old*, exh. cat., National Gallery, London, 2000. Includes an essay by M. Livingstone on Hockney's *Twelve Portraits after Ingres in a Uniform Style*, pp. 153–63. A shorter version of this essay was reprinted as 'Through the Looking Glass' in *Art Quarterly*, summer 2000, pp. 32–36

General Introductions to Hockney's Work

David Hockney: Exciting Times are Ahead, exh. cat. (curated by K. Heymer), Kunst- und Ausstellungshalle der Bundesrepublik Deutschland, Bonn, 1 June–23 September 2001

David Hockney: A Retrospective, exh. cat., Los Angeles County Museum of Art, 4 February–24 April 1988

David Hockney: Close and Far, exh. cat., Galerie Lelong, Paris, 2001. Text by J. Frémon

Hockney, D., *David Hockney by David Hockney*, London and New York, 1976. Later reissued as *My Early Years*, London and New York, 1988

Hockney, D., *Hockney on 'Art': Conversations with Paul Joyce*, Boston, New York and London, 1999

Hockney, D., *On Photography. A Lecture at the Victoria & Albert Museum, November 1983*, André Emmerich Gallery, New York and Zurich, n. d. [1984]

Hockney, D., *Secret Knowledge: Rediscovering the lost Techniques of the Old Masters*, London, 2001

Hockney, D., *That's the Way I See It*, London and San Francisco, 1993

Livingstone, M., *David Hockney*, London and New York, 1981; rev. and upd. in 1987 and 1996

Luckhardt, U., and P. Melia. *David Hockney: A Drawing Retrospective*, London, 1995

Melia, P., and U. Luckhardt, *David Hockney: Paintings*, Munich, 1994

Webb, P., *Portrait of David Hockney*, London, 1988

General Introductions to Portraiture

Brilliant, R., *Portraiture*, London, 1991

Gibson, R. (with introductory essay by N. Lynton), *Painting the Century: 101 Portrait Masterpieces 1900–2000*, London, 2000

Nakabayashi, K., and M. Kuraya, *Visage: Painting and the Human Face in 20th Century Art*, exh. cat., The National Museum of Western Art, Tokyo, 2000

Schneider, N., *The Portrait*, Cologne, 2002

插图目录

所有尺寸均以厘米为单位, 括号内为英寸, 高度乘以宽度, 并适用所有作品。照片尺寸均为底片尺寸, 除非另作说明。

on paper, 76.2 x 57.2 (30 x 22½). Collection National Portrait Gallery, London (Gift of David Hockney)
38br *Self-Portrait, October 31st Minneapolis*, 1983. Charcoal on paper, 76.2 x 57.2 (30 x 22½). Collection of David Hockney
39l *Man Looking for His Glasses, April 1986*, 1986. Home-made print executed on an office colour copy machine, 21.6 x 27.9 (8½ x 11)
39r *Self-Portrait, July 1986*, 1986. Home-made print executed on an office colour copy machine, 55.9 x 21.6 (22 x 8½) (2 panels)
40 *Self-Portrait*, 2001. Charcoal on paper, 76.2 x 56.5 (30 x 22¼). Collection of David Hockney. Photo Richard Schmidt
41 Rembrandt, *Self-Portrait, Open Mouthed*, signed and dated RHL 1630. Etching (2nd state of three), 7.3 x 6.2 (2⅞ x 2⅜)
42 *Self-Portrait, March 2. 2001*, 2001. Charcoal on paper, 76.2 x 56.5 (30 x 22½). Collection Centre Georges Pompidou, Paris. Photo Richard Schmidt
43 *Self-Portrait, March 2, 2001*, 2001. Charcoal on paper, 76.2 x 56.5 (30 x 22½). Private Collection, France. Photo Richard Schmidt
44 *My Parents*, 1977. Oil on canvas, 182.9 x 182.9 (72 x 72). Tate Gallery, London
46 *Portrait of My Father*, 1955. Oil on canvas, 50.8 x 40.6 (20 x 16). Collection of David Hockney
47 *My father in his workroom. Bradford Yorkshire*, 1969. Colour photograph (2 prints), 36.8 x 45.1 (14½ x 17¾). Collection of David Hockney. Photo Richard Schmidt
48 *My Father. Paris. Jan.*, 1974. Coloured crayon on paper, 64.8 x 49.5 (25½ x 19½). Collection of David Hockney
49 *Portrait Surrounded by Artistic Devices*, 1965. Acrylic on canvas and paper, 153 x 183 (60 x 72). Arts Council of Great Britain, London
50 *The Artist's Mother*, 1972. Ink on paper, 43 x 35.5 (17 x 14). Private Collection, London
51 *The Artist's Mother*, 1972. Coloured crayon on paper, 43 x 35.5 (17 x 14). Collection of David Hockney
52l *My Mother with Parrot*, 1973. Etching, softground etching, aquatint, 65.5 x 50 (25¾ x 19¾) (paper size)
52r *My Mother at the Age of Twenty (from a Photograph) as a Study for Félicité in "A Simple Heart" of Gustave Flaubert*, 1973. Etching, aquatint, 20 x 16 (7⅞ x 6¼)
53 *My Mother Today: as a Study for Félicité in "A Simple Heart" of Gustave Flaubert*, 1973. Etching, 17.8 x 11.8 (15 x 11½)
54 *My Parents Posing for 'My Parents and Myself'*, 1975. Fujix Pictographic silver halide print, 22.2 x 30.5 (9 x 12). Collection of David Hockney
55 *My Parents and Myself*, 1975 (unfinished). Oil on canvas, 183 x 183 (72 x 72). Collection of David Hockney
56l *Mother, Bradford. 19 Feb 1978*, 1978. Sepia ink on paper, 35 x 27.5 (13¾ x 11). Collection of David Hockney
56r *Mother, Bradford June 27th 1983*, 1983. Ink on paper, 76.2 x 57.2 (30 x 22½). Collection of David Hockney
57 *Mother with Crossword Puzzle, June 1983*, 1983. Ink on paper, 76.2 x 57.2 (30 x 22½). Collection of David Hockney
58 *Mother Bradford Yorkshire 4th May 1982*, 1982. Composite Polaroid, 140 x 58.8 (56 x 23½). Collection of David Hockney
59 *My Mother, Ann Upton + David Graves. Harry Ramsdens Fish + Chip Shop Bradford 5th May 1982*, 1982. Composite Polaroid, 26.4 x 35.7 (10½ x 14). Collection of David Hockney
60–61 *The Scrabble Game, Jan. 1, 1983*, 1983. Photocollage, 97.5 x 145 (39 x 58)
62 *My Mother, Bolton Abbey, Yorkshire, Nov. 1982*, 1982. Photocollage, 120.7 x 69.9 (47½ x 27½)
63 *Sisters, Bradford, Yorkshire, Jan. 1983*, 1983. Photocollage, 91 x 76.2 (35¾ x 30)
64l *Portrait of Mother I*, 1985. Lithograph (seven aluminium plates), 50.8 x 43.2 (20 x 17). © David Hockney/Tyler Graphics Ltd. Photo Steven Sloman
64r *Portrait of Mother II*, 1985. Lithograph (four aluminium plates), 50.8 x 43.2 (20 x 17). © David Hockney/Tyler Graphics Ltd. Photo Steven Sloman
65 *Portrait of Mother III*, 1985. Lithograph (seven aluminium plates), 50.8 x 43.2 (20 x 17). © David Hockney/Tyler Graphics Ltd. Photo Steven Sloman
66 *Mum*, 1988–89. Oil on canvas, 41.9 x 26.7 (16½ x 10½). Collection of David Hockney
67 *Paul Hockney*, 1988. Oil on canvas, 61 x 61 (24 x 24). Collection of David Hockney
68l *Mum*, 1994 (drawing from Bridlington Sketchbook). Coloured crayon, 27 x 46 (10⅝ x 18⅛). Collection of David Hockney. Photo Steve Oliver
68r *Mum, 10 March 94*, 1994. Crayon on paper, 75.7 x 56.8 (30 x 22½). Collection of David Hockney. Photo Richard Schmidt
69 *Mum, March 1, 1997*, 1997. Oil on canvas, 35 x 26.7 (13¾ x 10¼). Collection of David Hockney. Photo Richard Schmidt
70 *Mum Sleeping, 1st Jan 1996*, 1996. Oil on canvas, 45.8 x 61 (18 x 24). Collection of David Hockney
71 *Margaret and Ken, Bridlington*, 2002. Ink on paper, 31 x 41.5 (12 x 16¼). Collection of David Hockney
72 *The Room, Tarzana*, 1967. Acrylic on canvas, 243.8 x 243.8 (96 x 96). Private Collection
74 *Domestic Scene, Notting Hill*, 1963. Oil on canvas, 183 x 183 (72 x 72). Private Collection, Hamburg
75 *Life Painting for Myself*, 1962. Oil on canvas, 122 x 91.5 (48 x 36). Ferens Art Gallery, Hull City Museums and Art Gallery. Photo Peter Oszvald
76l *Play within a Play*, 1963. Oil on canvas and plexiglass, 183 x 198 (72 x 78). Private Collection
76r Domenichino, *Apollo Killing Cyclops*, 1616–18. Fresco on canvas mounted on board, 316.3 x 190.4 (124½ x 75). National Gallery, London
77 *Portrait of Nick Wilder*, 1966. Acrylic on canvas, 183 x 183 (72 x 72). The Fukuoka City Bank, Ltd., Fukuoka, Japan

78–79 *Beverly Hills Housewife*, 1966. Acrylic on canvas, 183 x 366 (72 x 144) (2 parts). Private Collection, Los Angeles

80 *Peter Getting Out of Nick's Pool*, 1966. Acrylic on canvas, 213.3 x 213.3 (84 x 84). Board of Trustees of the National Museums and Galleries on Merseyside (Walker Art Gallery Liverpool)

81 *Dream Inn, Santa Cruz, October 1966*, 1966. Pencil and coloured crayon, 35.5 x 43 (14 x 17). Collection of David Hockney

82 *Peter in Carennac*, 1967. Ink on paper, 35.5 x 43 (14 x 17). Private Collection

83t *Peter, Albergo la Flora, Rome*, 1967. Ink on paper, 35.5 x 43 (14 x 17). Private Collection

83b *In an Old Book* from *Illustrations for Fourteen Poems from C. P. Cavafy*, 1966–67. Etching, 36 x 23 (14⅛ x 9)

84 *Peter*, 1968. Ink on paper, 35.5 x 43 (14 x 17). Private Collection, London

85 *Peter*, 1969. Etching, 68.5 x 54.5 (27 x 21½)

86 *Peter, Hotel Regina, Venice*, 1970. Ink on paper, 43 x 35.5 (17 x 14). Private Collection

87 *Peter with Scarf*, 1970. Pencil and coloured crayon on paper, 43 x 35.5 (17 x 14). Private Collection

88–89 *Le Parc des Sources, Vichy*, 1970. Acrylic on canvas, 214 x 305 (84 x 120). Private Collection

90 *Mo*, 1967. Coloured crayon, 43 x 35.5 (17 x 14). Private Collection

91 *Mo Asleep*, 1971. Etching, aquatint, 68 x 53.5 (27½ x 21½)

92 *Kasmin Twice*, 1968. Etching, aquatint, 35 x 55 (13¾ x 21⅝)

93 *W. H. Auden I*, 1968. Ink on paper, 43 x 35.5 (17 x 14). Private Collection

94–95 *American Collectors (Fred and Marcia Weisman)*, 1968. Acrylic on canvas, 213.4 x 304.8 (84 x 120). The Art Institute of Chicago, Gift of Mr. and Mrs. Frederick G. Pick

96 *Christopher Isherwood and Don Bachardy*, 1968. Acrylic on canvas, 212 x 304 (83½ x 119½). Private Collection

97 *Christopher Isherwood and Don Bachardy*,

1976. Lithograph (2 aluminium plates, crayon), 72.4 x 96.2 (28¾ x 37¾). © David Hockney/Gemini G.E.L.

98 *Henry and Christopher*, 1967. Lithograph (1 transfer sheet, 1 aluminium plate, tusche), collage, hand-colouring (coloured crayon), 57 x 76 (22½ x 30¼). © David Hockney/Gemini G.E.L.

99 *Henry*, 1968. Pencil on paper, 43 x 35.5 (17 x 14). Private Collection

100 *Henry Geldzahler and Christopher Scott*, 1969. Acrylic on canvas, 214 x 305 (84 x 120). Private Collection

101t *Henry, France, 1969*, 1969. Fujix Pictographic silver halide print, 22.2 x 30.5 (8¾ x 12). Collection of David Hockney

101bl *Henry 835 Seventh Avenue New York, Oct. 1970*, 1970. Fujix Pictographic silver halide print, 30.5 x 22.2 (12 x 8¾). Collection of David Hockney

101br *Henry & Peter Café de Flore Paris*, 1972. Photograph, 25.4 x 20.3 (10 x 8)

102 *Henry, Seventh Avenue*, 1972. Coloured crayon on paper, 43 x 35.5 (17 x 14). The Metropolitan Museum of Art, New York, Gift of Henry Geldzahler, 1979

103t *Henry in Italy*, 1973. Ink on paper, 35.5 x 43.9 (14 x 17). Hirshhorn Museum and Sculpture Garden, Smithsonian Institution, Washington, D. C.

103b *Henry in Deckchair*, 1973. Crayon on paper, 43 x 35.5 (17 x 14). Private Collection

104 *Henry Reading, Paris*, 1975. Coloured crayon on paper, 64.8 x 49.5 (25½ x 19⅜). Private Collection

105 *Henry in Candlelight*, 1975. Crayon on paper, 43 x 35.5 (17 x 14). Private Collection, France

106t *Henry Seated with Tulips*, 1976. Lithograph (2 stones, 3 aluminium plates, crayon, tusche), 90.2 x 76.2 (35½ x 30). © David Hockney/Gemini G.E.L.

106b *Henry at Table*, 1976. Lithograph (2 stones, 1 aluminium plate, crayon, tusche), 75.6 x 106 (29¾ x 41¾). © David Hockney/Gemini G.E.L.

107 *Looking at Pictures on a Screen*, 1977.

Oil on canvas, 183 x 183 (74 x 74). Walker Art Center, Minneapolis, Gift of Mr. and Mrs. Miles Q. Fiterman

108l *Stephen Spender*, 1969. Pencil on paper, 71 x 50.8 (28 x 20). Private Collection

108r *Maurice Payne*, 1971. Etching, 68 x 53.5 (27⅛ x 21⅛)

109 *Billy Wilder*, 1976. Lithograph (1 stone, 2 aluminium plates, crayons), 96.5 x 71.1 (38 x 28). © David Hockney/Gemini G.E.L.

110 *Andy, Paris 1974*, 1974. Coloured pencil and pencil on paper, 64.8 x 49.5 (25⅝ x 19¾). Private Collection. Photo Lynton Gardiner

111l *Ron Kitaj Outside the Academy of Fine Arts, Vienna*, 1975. Ink on paper, 43 x 35.5 (17 x 14). Private Collection

111r *Portrait of Richard Hamilton*, 1971. Etching, aquatint, 34.5 x 26.5 (15⅜ x 10⅜)

112–13 *Portrait of Sir David Webster*, 1971. Acrylic on canvas, 145 x 183 (54 x 72). Royal Opera House, Covent Garden, London

114–15 *Portrait of an Artist (Pool with Two Figures)*, 1972. Acrylic on canvas, 214 x 275 (84 x 120). Private Collection

115 *Peter Schlesinger, London 1972*, 1972. Photograph (5 prints), 61 x 32.4 (24 x 12¾). Collection of David Hockney. Photo Steve Oliver

117 *Sur la Terrasse*, 1971. Acrylic on canvas, 457 x 213 (180 x 84). Private Collection, Switzerland

118 *Peter, Reclining*, 1972. Ink on paper, 43 x 35.5 (17 x 14). Collection Meyer-Ellinger, Frankfurt am Main

119 *Still Life on a Glass Table*, 1971. Acrylic on canvas, 183 x 274.4 (72 x 108). Private Collection

120 *Peter Schlesinger*, 1976. Lithograph in sepia, 1 stone, crayon, tusche, 40.6 x 29.8 (15¾ x 11¾). © David Hockney/Gemini G.E.L.

121 *Peter Schlesinger with Polaroid Camera*, 1977. Oil on canvas, 152 x 152 (60 x 60). Astrup Fearnley Museet for Moderne Kunst, Oslo

122 *Celia in a Black Slip Reclining. Paris. Dec.*, 1973. Coloured crayon on paper,

49.5 x 64.8 (19½ x 25½).
Museum of Fine Arts, Boston

123   *Celia in a Black Dress with White Flowers*, 1972. Coloured crayons on paper, 43 x 35.5 (17 x 14). Private Collection

124   *Celia, Paris*, 1969. Ink on paper, 43 x 35.5 (17 x 14). Private Collection

125   *Celia, Carennac, August 1971*, 1971. Coloured crayons on paper, 43 x 35.5 (17 x 14). Collection of David Hockney

126   *Mr and Mrs Clark and Percy*, 1970–71. Acrylic on canvas, 214 x 305 (84 x 120). Tate Gallery, London

127   *Ossie, Wearing a Fairisle Sweater*, 1970. Coloured crayon, 43.2 x 35.6 (17 x 14). Private Collection

128   *Celia Wearing Checked Sleeves*, 1973. Coloured crayons on paper, 64.8 x 49.5 (25½ x 19⅝). Private Collection

129   *Celia in a Black Dress with Red Stockings*, 1973. Coloured crayons on paper, 64.8 x 49.5 (25½ x 19⅝). National Gallery of Australia, Canberra

130l   *Celia*, 1973. Lithograph (1 stone), 108.5 x 72.4 (42¾ x 28½). © David Hockney/Gemini G.E.L.

130tr   *Celia Smoking*, 1973. Lithograph (1 stone), 83.2 x 50.8 (32¾ x 20). © David Hockney/Gemini G.E.L.

130bl   *Celia 8365 Melrose Avenue, Hollywood*, 1973. Lithograph (1 stone, crayon), 120.7 x 80 (47½ x 31½). © David Hockney/Gemini G.E.L.

131   *Celia Nude*, 1975. Coloured crayons on paper, 64.8 x 49.5 (25½ x 19⅝). Private Collection

132   *Gregory Leaning Nude*, 1975. Coloured pencil on paper, 64.8 x 49.5 (25½ x 19½). Private Collection. Photo Lisa McPherson

133l   *Gregory Thinking in the Palatine Ruins*, 1974. Ink on paper, 64.8 x 49.5 (25½ x 19½). Private Collection

133r   *Gregory*, 1974. Etching, softground etching (2 copper plates), 68.5 x 54.5 (27 x 21½)

134   *Small Head of Gregory*, 1976. Lithograph (1 stone, crayon), 26.4 x 24.1 (10½ x 9¾). © David Hockney/Gemini G.E.L.

135   *Gregory with Gym Socks*, 1976. Lithograph, (1 aluminium plate, crayon), 70.5 x 47.6 (27¾ x 18¾). © David Hockney/Gemini G.E.L.

136   *Model with Unfinished Self-Portrait*, 1977. Oil on canvas, 152 x 152 (60 x 60). Private Collection

138   *Henry with Cigar*, 1976. Lithograph (1 aluminium plate, tusche), 27.3 x 26.7 (10¾ x 10½). © David Hockney/Gemini G.E.L.

139   *A Lot More of Ann Combing Her Hair*, 1979. Lithograph (1 aluminium plate, crayon, tusche), 124.5 x 91.4 (49¾ x 36¾). © David Hockney/Gemini G.E.L.

140   *Celia in an Armchair*, 1980. Lithograph (2 aluminium plates, crayon, tusche), 101.6 x 121.9 (40 x 48). © David Hockney/Gemini G.E.L.

141   *Celia in the Director's Chair*, 1980. Lithograph (1 aluminium plate, tusche), 106.7 x 96.5 (42 x 38). © David Hockney/Gemini G.E.L.

142tl   *Celia Inquiring*, 1979. Lithograph (1 aluminium plate, tusche), 101.6 x 73.7 (40 x 29). © David Hockney/Gemini G.E.L.

142tr   *Celia Elegant*, 1979. Lithograph (1 aluminium plate, tusche), 101.6 x 73.7 (40 x 29). © David Hockney/ Gemini G.E.L. Photo Steve Oliver

142b   *Celia Weary*, 1979. Lithograph (1 aluminium plate, tusche), 101.6 x 73.7 (40 x 29). © David Hockney/Gemini G.E.L.

143l   Pablo Picasso, *Gertrude Stein*, 1906. Oil on canvas, 100 x 81.3 (39⅜ x 32). Metropolitan Museum of Art, New York, Bequest of Gertrude Stein, 1946 (47.106). © Succession Picasso/ DACS 2003

143r   *Divine*, 1979. Acrylic on canvas, 142 x 142 (60 x 60). Museum of Art, Carnegie Institute, Pittsburgh

144   *Ian*, 1981. Crayon on paper, 76.2 x 57.2 (30 x 22½). Collection of David Hockney

145   *Ian in a Wicker Chair I*, 1982. Sepia ink on paper, 56.3 x 75 (22½ x 30). Collection of David Hockney

146   *Ian with Self-Portrait, March 2nd 1982*

Los Angeles, 1982. Composite Polaroid, 35.6 x 26.7 (14 x 10½). Collection of David Hockney

147   *Maurice Payne Reading the New York Times in Los Angeles Feb. 28th 1982*, 1982. Composite Polaroid, 35.6 x 26.7 (14 x 10½). Collection of David Hockney

149   *Don + Christopher Los Angeles, 6th March 1982*, 1982. Composite Polaroid, 80 x 59.1 (31½ x 23¼). Collection of David Hockney

150   *Henry Moore Much Hadham, 23rd July 1982*, 1982. Composite Polaroid, 53.3 x 35.6 (21 x 14). Collection of David Hockney. Photo Steve Oliver

151   *Noya + Bill Brandt with Self-Portrait (Although they were watching this picture being made) Pembroke Studios 8th May 82*, 1982. Composite Polaroid, 61.3 x 61.3 (24½ x 24½). Collection of David Hockney

152–53   *Gregory Swimming Los Angeles March 31st 1982*, 1982. Composite Polaroid, 83.3 x 141.9 (27¾ x 51¼). Collection of David Hockney

154   *Gregory, Los Angeles, March 31st, 1982*, 1982. Composite Polaroid, 36.8 x 33.7 (14½ x 13¼). Collection of David Hockney

155   *Celia with Albert + George Los Angeles April 1982*, 1982. Composite Polaroid, 62.2 x 76.2 (24½ x 30). Collection of David Hockney

156–57   *Celia Los Angeles April 10th 1982*, 1982. Composite Polaroid, 45.7 x 76.2 (18 x 30). Collection of David Hockney

158   *Celia Making Tea, N. Y., Dec. 1982*, 1982. Photocollage, 63.5 x 53.5 (25 x 21)

159   *David Graves Looking at Bayswater London, Nov. 1982*, 1982. Photocollage, 123.2 x 78.9 (48½ x 31)

160–61   *Ian Drawing Ann, Feb. 1983*, 1983. Photocollage, 84.2 x 140.9 (33 x 55⅜)

162   *Ian Washing His Hair London, Jan. 1983*, 1983. Photocollage, 76.2 x 84.2 (30 x 33)

163   *Gregory Walking, Venice, Ca., Feb. 1983*, 1983. Photocollage, 30.5 x 58.4 (12 x 23)

164   *Billy Wilder Lighting His Cigar Dec. 1982*, 1982. Photocollage, 68.6 x 44.5 (27 x 17½)

165   *Gregory Reading in Kyoto Feb. 1983*,

1983. Photocollage, 101.6 x 109 (40 x 43)

166–67 *David, Celia, Stephan and Ian, London 1982*, 1982. Oil on canvas, 8 panels, 183 x 203 (72 x 80). Private Collection, USA

168 *Untitled*, 1983. Charcoal on paper, mounted on canvas, 91.4 x 152.4 (36 x 60). Collection of David Hockney. Photo Richard Schmidt

169 *David Graves Reading and Drinking*, 1983. Ink on paper, 35.5 x 43 (14 x 17). Private Collection

170 *Red Celia*, 1984. Lithograph (4 aluminium plates), 76.2 x 54.6 (30 x 21½). © David Hockney/ Tyler Graphics Ltd.

171 *The Marriage in Hawaii of David and Ann*, 1984. Etching, 109.2 x 75.6 (43 x 29¾). © David Hockney/ Gemini G.E.L.

172l *Christopher with His Glasses On*, 1984. Oil on canvas, 77.5 x 58.4 (30½ x 23). Private Collection, Milwaukee

172r Cover of *Vogue* (French edition) by David Hockney, 1985. 32.4 x 24.1 (12¾ x 9½). Courtesy Vogue Paris

173 *Christopher without His Glasses On*, 1984. Oil on canvas, 77.5 x 58.4 (30½ x 22⅞). Collection of David Hockney

174 *Christopher Isherwood*, 1984 (drawing from Santa Monica Sketchbook I). Pen and ink on paper, 21.9 x 27.6 (8¼ x 10½). Collection of David Hockney. Photo Steve Oliver

175 *Don Bachardy*, 1984 (drawing from Santa Monica Sketchbook II). Ink on paper, 29.9 x 44 (11¾ x 17¾). Collection of David Hockney

176–77 *A Visit with Christopher & Don, Santa Monica Canyon 1984*, 1984. Oil on canvas, 183 x 610 (72 x 240), 2 parts. Sammlung Ludwig, Museum Ludwig Cologne

178 *Celia II*, 1984. Oil on canvas, 58.4 x 45.7 (26 x 18). Private Collection

179 *Ian Watching Television*, 1987. Oil on canvas, 91.4 x 121. 9 (36 x 48). Private Collection

180 *Gregory II*, 1988. Pencil on paper, 77 x 56.5 (30¼ x 22½). Collection of David Hockney. Photo Steve Oliver

181 *Gregory I*, 1988. Pencil on paper, 77 x 56.5 (30¼ x 22½). Collection of David Hockney. Photo Steve Oliver

182l *Maurice Payne I*, 1989. Oil on canvas, 41.9 x 26.7 (16½ x 10½). Collection of David Hockney

182r *Maurice Payne II*, 1989. Oil on canvas, 41.9 x 26.7 (16½ x 10½). Collection of David Hockney

183 *Albert Clark II*, 1989. Oil on canvas, 41.9 x 26.7 (16½ x 10½). Collection of David Hockney

184tl *Bing (McGilvray) I*, 1989. Oil on canvas, 41.9 x 26.7 (16½ x 10½). Collection of David Hockney

184tr *Bing (McGilvray) II*, 1989. Oil on canvas, 41.9 x 26.7 (16½ x 10½). Collection of David Hockney

184bl *Karen S. Kuhlman*, 1989. Oil on canvas, 41.9 x 26.7 (16½ x 10½). Collection of David Hockney

184br *Armistead Maupin*, 1989. Oil on canvas, 41.9 x 26.7 (16½ x 10½). Collection of David Hockney. Photo Richard Schmidt

185 *Older Gentleman with Young Gentleman*, 1989. Oil on canvas, 61 x 91.4 (24 x 36). Private Collection

186–87 *112 L. A. Visitors* (detail), 1990–91. Colour laser printed still video portraits in portfolio, 57.2 x 76.2 (22½ x 30) (page size). Photo Richard Schmidt

188l *John Fitzherbert Dec 31 1993*, 1993. Crayon on paper, 75.7 x 56.8 (30 x 22½). Private Collection, New York. Photo Richard Schmidt

188r *Jeff Burkhart Jan 27 1994*, 1994. Crayon on paper, 75.7 x 56.8 (30 x 22½). Private Collection. Photo Richard Schmidt

189l *Betty Freeman Feb 1 1994*, 1994. Crayon on paper, 75.7 x 56.8 (30 x 22½). Private Collection. Photo Richard Schmidt

189r *Dr. Leon Banks 16 Feb 1994*, 1994. Crayon on paper, 75.7 x 56.8 (30 x 22½). Private Collection. Photo Richard Schmidt

190 *Maurice 1998*, 1998. Etching, 87 x 55.9 (34¼ x 22). Photo Richard Schmidt

191 *Brenda with Cigarette*, 1998. Etching, 87 x 55.9 (34¼ x 22). Photo Steve Oliver

192 *Brenda*, 1998. Etching, 87 x 55.9 (34¼ x 22). Photo Richard Schmidt

193 *Soft Celia*, 1998. Etching, 87 x 55.9 (34¼ x 22). Photo Steve Oliver

194 *Gregory Evans I. London. 13th June 1999*, 1999. Pencil on grey paper using a camera lucida, 45 x 38.1 (17¾ x 15). Collection of David Hockney

196 *Maurice Payne, October 9, 2000*, 2000. Charcoal on paper, 76.2 x 56.5 (30 x 22¼). Collection of David Hockney. Photo Richard Schmidt

197l *Maurice Payne. Los Angeles. 17th July 1999*, 1999. Pencil on grey paper using a camera lucida, 56.5 x 38.1 (22¼ x 15). Collection of David Hockney. Photo Steve Oliver

197r *Maurice Payne. Los Angeles. 11th September 1999*, 1999. Pencil on grey paper using a camera lucida, 56.5 x 38.1 (22¼ x 15). Collection of David Hockney. Photo Steve Oliver

199 *Gregory Evans. London. 12th December 1999*, 1999. Pencil & white crayon on grey paper using a camera lucida, 56.2 x 38.1 (22¼ x 15). Collection of David Hockney. Photo Steve Oliver

200tl Jean Auguste Dominique Ingres, *Dr Thomas Crunch* (detail), 1816. Graphite on paper, 20.4 x 16 (8¼ x 6¼). Los Angeles County Museum of Art, Purchased with funds provided by the Loula D. Lasker Bequest and Museum Associates Fund

200tr Jean Auguste Dominique Ingres, *André-Benoit Barreau, called Taurel* (detail), 1819. Graphite on paper, 28.8 x 20.5 (11¼ x 8). Collection Yves Saint Laurent and Pierre Bergé, Paris

200bl Jean Auguste Dominique Ingres, *Portrait of Madame Adolphe Thiers* (detail), 1834. Graphite on paper, 31.9 x 23.9 (12½ x 9⅜). Allen Memorial Art Museum, Oberlin College, Ohio. R. T. Miller, Jr. Fund, 1948

200br Jean Auguste Dominique Ingres, *Portrait of a Man, possibly Edmé Bochet* (detail), 1814. Graphite on paper, 21.8 x 16.6 (8½ x 6½). The Metropolitan Museum of Art, Rogers Fund, 1919. Photo © The Metropolitan Museum of Art

201tl *Ron Lillywhite. London. 17th December*

1999 (detail) from *12 Portraits after Ingres in a Uniform Style*, 1999–2000. Pencil, crayon and gouache on grey paper using a camera lucida, 56.2 x 38.1 (22¼ x 15). Private Collection. Photo Richard Schmidt

201tr *Pravin Patel. London. 5th January 2000* (detail) from *12 Portraits after Ingres in a Uniform Style*, 1999–2000. Pencil, crayon and gouache on grey paper using a camera lucida, 56.2 x 38.1 (22¼ x 15). Private Collection. Photo Richard Schmidt

201bl *Maria Vasquez. London. 21th December 1999* (detail) from *12 Portraits after Ingres in a Uniform Style*, 1999–2000. Pencil, crayon and gouache on grey paper using a camera lucida, 56.2 x 38.1 (22¼ x 15). Private Collection. Photo Richard Schmidt

201br *Brian Wedlake. London. 10th January 2000* (detail) from *12 Portraits after Ingres in a Uniform Style*, 1999–2000. Pencil, crayon and gouache on grey paper using a camera lucida, 56.2 x 38.1 (22¼ x 15). Private Collection. Photo Richard Schmidt

203 *Gregory Evans Los Angeles, 18th September 1999*, 1999. Pencil and gouache on grey paper using a camera lucida, 56.2 x 38.1 (22¼ x 15). Collection of David Hockney. Photo Steve Oliver

204 *John. Reykjavik. 4th July '02*, 2002. Ink on paper, 26 x 36.2 (10¼ x 14¼). Collection of David Hockney

205l *Ren Weschler*, 2002. Ink on paper, 36.2 x 26 (14¼ x 10¼). Collection of David Hockney

205r *Gregory*, 2002. Ink on paper, 67.6 x 31.1 (26⅝ x 12¼). Collection of David Hockney

206 *Robbie*, 2002. Ink on paper, 31 x 23 (12 x 9). Private Collection, London

207 *Barry Humphries*, 2002. Ink on paper, 35.5 x 25.5 (14 x 10). Private Collection, Paris

208 *Jean-Pierre*, 2002. Ink on paper, 36.2 x 26 (14¼ x 10¼). Collection of David Hockney

209l *James Watson*, 2002. Ink on paper, 31 x 23 (12¼ x 9). Private Collection, New York

209r *Paul Johnson*, 2002. Ink on paper, 36.2 x 26 (14¼ x 10¼). Private Collection, Paris

210 *Danny Katz*, 2002. Ink on paper, 51 x 35.5 (20 x 14). Private Collection, Paris

211 *Munir Benjenk*, 2002. Ink on paper, 36.2 x 26 (14¼ x 10¼). Collection of David Hockney

213 *Ann*, 2002. Watercolour on paper, 60.1 x 45.7 (24 x 18). Collection of David Hockney

214 *George Lawson*, 2002. Watercolour on paper, 60.1 x 45.7 (24 x 18). Collection of David Hockney

215 *Paul Melia*, 2002. Watercolour on paper, 60.1 x 45.7 (24 x 18). Collection of David Hockney

216 *Stephen Stuart-Smith*, 2002. Watercolour on paper, 60.1 x 45.7 (24 x 18). Collection of David Hockney

217 *Matthew Spender*, 2002. Watercolour on paper, 60.1 x 45.7 (24 x 18). Collection of David Hockney

218l *Celia Birtwell*, 2002. Watercolour on paper (2 sheets), 122 x 45.5 (48 x 18). Collection of David Hockney

218r *Gregory II*, 2002. Watercolour on paper (2 sheets), 122 x 45.5 (48 x 18). Collection of David Hockney

219l *Lindy Dufferin*, 2002. Watercolour on paper (2 sheets), 122 x 45.5 (48 x18) Collection of David Hockney

219r *Sheikh Saud bin Mohammad bin Ali Al-Thani*, 2002. Watercolour on paper (2 sheets), 122 x 45.5 (48 x 18). Collection of David Hockney

220 *Jacob and Hannah Rothschild*, 2002. Watercolour on paper (4 sheets), 122 x 91.5 (48 x 36). Private Collection, London

221 *Lucian Freud and David Dawson*, 2002. Watercolour on paper (4 sheets), 122 x 91.5 (48 x 36). Collection of David Hockney

222 *Manuela and Norman Rosenthal*, 2002. Watercolour on paper (4 sheets), 122 x 91.5 (48 x 36). Collection of David Hockney

223 *Marco Livingstone and Stephen Stuart-Smith*, 2002. Watercolour on paper (4 sheets), 122 x 91.5 (48 x 36). Collection of David Hockney

224 *Tom and Charles Guard*, 2002. Watercolour on paper (4 sheets), 122 x 91.5 (48 x 36). Collection of David Hockney

225 *John and Robbie (Brothers)*, 2002. Watercolour on paper (4 sheets), 122 x 91.5 (48 x 36). Collection of David Hockney

226 *Sully Bonnelly and Robert Littman*, 2002. Watercolour on paper (4 sheets), 122 x 91.5 (48 x 36). Private Collection, New York

227 *Tchaik and Melissa Chassay*, 2002. Watercolour on paper (4 sheets), 122 x 91.5 (48 x 36). Collection of David Hockney

228 *Jacqui Staerck and Brian Young*, 2002. Watercolour on paper (4 sheets), 122 x 91.5 (48 x 36). Private Collection, London. Photo Richard Schmidt

229 *Arcadia Fletcher and Robin Katz*, 2002. Watercolour on paper (4 sheets), 122 x 91.5 (48 x 36). Collection of David Hockney

230 *Tony Harrison and Sion Thomas*, 2002. Watercolour on paper (4 sheets), 122 x 91.5 (48 x 36). Collection of David Hockney

231 *Martin Kemp and Marina Wallace*, 2003. Watercolour on paper (4 sheets), 122 x 91.5 (48 x 36). Collection of David Hockney

人名索引

插图与图注以斜体页码标注，所有页码均
为原书页码。